suhrkamp taschenbuch 612

Martin Walser, 1927 in Wasserburg (Bodensee) geboren, lebt heute in Nußdorf (Bodensee). 1957 erhielt er den Hermann-Hesse-Preis, 1962 den Gerhart-Hauptmann-Preis und 1965 den Schiller-Gedächtnis-Förderpreis. Prosa: *Ein Flugzeug über dem Haus und andere Geschichten: Ehen in Philippsburg; Halbzeit; Lügengeschichten; Das Einhorn; Fiction; Aus dem Wortschatz unserer Kämpfe; Die Gallistl'sche Krankheit; Der Sturz; Jenseits der Liebe; Ein fliehendes Pferd; Seelenarbeit.* Stücke: *Eiche und Angora; Überlebensgroß Herr Krott; Der Schwarze Schwan; Der Abstecher/Die Zimmerschlacht; Ein Kinderspiel; Das Sauspiel. Szenen aus dem 16. Jahrhundert.* Essays: *Erfahrungen und Leseerfahrungen; Heimatkunde; Wie und wovon handelt Literatur?; Wer ist ein Schriftsteller?* Aufsätze und Reden.

Zu Walsers erstem Buch aus dem Jahr 1955 schrieb die *Süddeutsche Zeitung:* »Walsers Geschichten sind ironisch-aggressive Parabeln vom Dasein des Menschen in einer Gesellschaft, die Größe, Freiheit, Fülle des Lebens nicht aufkommen läßt, weil jeder spontane Impuls in einem Labyrinth von Schwierigkeiten und unmenschlichen Widerständen versickert. Die großartig-allgemeine Vereitelungsmythe Kafkas erscheint in sozialkritischer Zuspitzung: als verwaltete Welt, als totales Kontrollsystem, das den Menschen hoffnungslos in der Klemme hat. Unerreichbares Ziel aller Bemühungen ist eine bedrückend anonyme Herrschaftsdistanz, die als oberste Direktion, als Wohnungsamt, Agentur, Behörde vorgestellt wird. Wie wird man damit fertig, mit diesen entmenschenden Schematismen, wie kann man sich ihrer erwehren? Indem man sich ironisch mit ihnen identifiziert und sie dadurch ad absurdum führt.«

Martin Walser

Ein Flugzeug über dem Haus und andere Geschichten

Suhrkamp

Umschlagfoto: STERN, Lebeck

suhrkamp taschenbuch 612
Erste Auflage 1980

Druck: Ebner Ulm · Printed in Germany
Umschlag nach Entwürfen von
Willy Fleckhaus und Rolf Staudt

Inhalt

Ein Flugzeug über dem Haus

Ihren Vornamen weiß ich nicht mehr. Die Familie hieß, glaube ich, Bergmann. Ich war eingeladen worden, den Geburtstag der Tochter mitzufeiern. Im Garten fanden wir alles vorbereitet. Das Geburtstagskind lief hin und her, drängte jeden einzeln auf einen Stuhl, als hätte sie dann nichts mehr von ihm zu befürchten; dann nahm sie, schon etwas erschöpft, endlich selbst am Kopf der Tafel Platz. Noch saß ihre Mutter an ihrer Seite.

Obwohl alles unter hohen alten Bäumen stattfand, war es heiß. Wo die Sonne zwischen all dem Gartenlaub und Baumbestand einen Durchlaß fand, brannte sie weißglühende Flecken herab. Die breitgezogene bequeme Villa schützte den Garten zwar vor der Straße, aber die Insekten lärmten lauter als die Straßenbahn. Und doch waren sie nicht so schlimm wie die Flugzeuge, unter denen unsere Stadt seit einigen Jahren leidet, unter deren Geheul unser Geschirr in den Schränken Tag und Nacht klirrt, unter deren rasenden Schatten unsere Häuser ächzen; in dieser grünen Gartenhöhle hörten wir nichts von ihnen; wir genossen den sirrenden Gesang des auf- und niedertanzenden Insektengewölks.

Immer noch saß die Dame des Hauses neben ihrer Tochter. Als sie die Tasse, die sie zusammen mit der Geburtstagsgesellschaft trinken wollte, ausgetrunken hatte, stand sie auf und verabschiedete sich. Bis zu diesem Augenblick hatte man sich dann und wann ein Wort über den Tassenrand zugelispelt, jetzt erstarb auch das leiseste Geflüster. Alle sahen ihr nach, als sie dem Haus zuschritt, über zwei Stufen die Terrasse erreichte, sich umdrehte, allen noch einmal zuwinkte, ihrer Tochter, der Siebzehnjährigen, besonders innig, wie bei einem Abschied, ja, sie schien traurig, alle sahen es, wie sie die Hand in der Luft plötzlich hängen ließ wie ein welkes Blatt, wie sie sich dann sehr rasch abwandte und im Haus, in der Tiefe eines Zimmers verschwand. Wir sahen uns an. Die Augen der Mädchen wurden weit, ihr Atem kürzer, noch hoben sie hilflos ihre Schultern, dann brach rund um den Tisch ein großer Lärm aus. Es waren die Mädchen, die ihn aufführten; allen voran das Geburtstagskind. Sie lachten, wurden geschüttelt von einer Art Fröhlichkeit, die ich nicht verstand, die man hätte für einen Anfall halten können.

Wo man hinsah, weit aufgerissene Münder, breite Zahnreihen, vom Lachen verzerrte Gesichter und durch die Luft fliegende, meist unbekleidete Arme, an denen die Hände losgelassen flatterten. Die Mädchen waren in der Überzahl. Wir saßen, von ihren Bewegungen und Kleidern überflutet, recht vereinzelte junge Männer. In all der weiblichen Turbulenz wirkten wir starr und eingefroren. Manchmal versuchten wir, durch die über uns niederrauschenden Hände, Oberkörper und Haare hindurch einander Blicke zuzuwerfen oder gar ein Wort, es gelang nicht; die Mädchen waren ein Strom geworden, wir schwammen, verlorene Holzstücke, durch nichts mehr gerechtfertigt, zum Scheitern und Stranden verurteilt, und dazu noch schweigend, dahin. Was sie sich über unseren Köpfen zuschrien, verstanden wir nicht. Anfangs versuchten wir noch, hinaufzuhören, uns gar einzuschalten, vergeblich. Dazu kam, daß wir uns nicht kannten. Jeder von uns war von einer dieser Freundinnen mitgebracht worden, hatte rasch eine Vorstellungszeremonie absolviert, dann hatte man sich auf einem Stuhl gefunden, so weit vom nächsten Mann entfernt, daß es unmöglich war, ein Gespräch anzuknüpfen und sich ein bißchen kennenzulernen. Solange die Dame des Hauses die Tafel noch beherrschte, hätte man glauben können, wir seien wohlaufgenommene und für den Verlauf des Geburtstagsfestes einigermaßen wichtige Gäste. Das hatte sich dann – man kann es wirklich nicht anders sagen – schlagartig geändert. Wenn die Freundinnen uns plötzlich ergriffen, gefesselt, an die Hauswand geschleppt und mit Dolchen oder Hackbeilen hingerichtet hätten, ich wäre nicht sonderlich verwundert gewesen. Mich tröstete nur, daß sie alle redeten und schrien, ohne daß noch eine der anderen zuhörte. Sie konnten sich auf diese Weise ja über nichts verständigen und in etwa noch strittigen Fragen auch keine Einigung erzielen. Aber vielleicht war ihnen unsere Hinrichtung schon keine strittige Frage mehr. Vielleicht hatte man uns nur deswegen eingeladen. Ich versuchte, Pia, meine Kusine, die mich hierher mitgenommen hatte, zu fragen, aber sie schüttelte mich ab, ohne mich auch nur mit einem Auge zu streifen. Vielleicht hielten sie es untereinander so, daß sie sich zum Geburtstag jeweils eine Handvoll junger Männer opferten. Auch meinen Gefährten, so stellte ich fest, war inzwischen die letzte Spur von Heiterkeit auf dem Gesicht erfroren.

An den Haarrändern traten ihnen Schweißperlen aus der Haut und funkelten; es sah aus, als habe man sie aus einem erschreckend feierlichen Anlaß geschmückt. Sollten wir nach der Hausfrau schreien? O dieses zarte Geburtstagskind! Und ich hatte geglaubt, sie sei von all der Festlichkeit schon zu Beginn erschöpft gewesen! Jetzt schwang ihr biegsamer Körper am Kopf der Tafel durch die Luft wie die Peitschenschnur in der Hand eines Dompteurs und ihrem ehedem kaum sichtbaren Mund entfuhren gellende Schreie, die, Raketen gleich, über die lange Reihe der Freundinnen und über uns paar Verstreute hinfuhren; die lachten noch greller, wir zuckten zusammen. Hilfesuchend drehte ich meinen Kopf zum Haus hin und – erschrak: Türen und Fenster waren jetzt geschlossen, eiserne Markisen hatte man herabgelassen, eine Villa – so sah es aus – deren Besitzer entweder verstorben oder auf eine Weltreise gegangen waren. Nur im Dachstock, aus einem Mansardenfenster, winkte ein Mann. Ein alter, schier hundertjähriger Mann mußte es sein. Ich winkte zurück. Er bemerkte mich, und es dauerte keine Viertelstunde, dann kam er um die Hausecke herum, kam direkt auf mich zu, und was tat er: er fädelte mich und dann meine Leidensgefährten aus dem weiblichen Dickicht heraus! Einen nach dem anderen holte er mit großer Ruhe und Übersicht an Land und setzte uns neben-

einander auf die Stufen, die zur Terrasse führten. Wir sahen dankbar zu ihm auf, und wenn er in diesem Augenblick mit der dazugehörigen Handbewegung gesagt hätte: »Platz, schön Platz!« wir hätten uns wie vom Tode errettete Hunde zu seinen Füßen gekuschelt. Er aber überraschte uns ganz anders, er sagte: wir sollten doch Mitleid haben mit den Mädchen! Wie der Angler den am tödlichen Haken immer verzweifelter um sich schlagenden Fisch beobachtet, der ihm doch nicht mehr entgehen kann, so seien wir am Tisch gesessen und hätten der Angst der Mädchen zugesehen und sie spüren lassen, daß diese freundlich grüne Gartenhöhle ihnen noch an diesem Nachmittag zum Verhängnis werde. Wir sollten doch Mitleid haben, vor allem mit Birga (ja, so hieß sie, jetzt fällt mir der Name des Geburtstagskindes wieder ein). Er sei Birgas Großonkel und beobachte ihre Entwicklung mit Sorge. Die Eltern hätten leider nicht so viel Zeit, als nötig wäre, um Birga vor den Gefahren, die einem Mädchen heute drohten, zu bewahren. Er allein habe Zeit dazu, aber er habe keine Kraft mehr. Als er das sagte, weinte er fast.
Und nun treibe dieses zarte Wesen in die Jahre hinein und was seien denn die Jahre für so ein verletzliches Mädchen wie Birga? Raubtierrachen seien's, nichts anderes, und jeder Monat sei ein Zahn, jeder ein noch größerer! Und er bat uns, Birga doch unseren Schutz angedeihen zu lassen! »Ich weiß«, rief er aus, »ihr seid die Wölfe, die an den Gartentoren lungern, um über sie herzufallen, wenn sie auf die Straße hinaustritt! Ich weiß, wie töricht es ist, euern Schutz

zu erbitten! Und ich tu's doch. Sie kann nur gerettet werden, wenn auch das Törichteste, das Sinnloseste versucht wird. Es ist schrecklich, von der Mansarde aus zusehen zu müssen, wie sie euch in die Hände fällt, ihr jungen Schufte!« Wir hörten zu und atmeten immer schneller. Er schrie: »Da, schaut die Eltern an! Türen und Fenster haben sie zugeschlossen, eiserne Läden heruntergelassen, um es nicht sehen, nicht hören zu müssen! Sie haben Birga euch ausgeliefert, glauben nicht mehr an Rettung. Ich bin heruntergerannt, weil einer gewinkt hat, durch die Waschküche bin ich aus dem Haus gestürmt, weil ich an das Unmögliche glaube: laßt Birga in Ruhe!«

Ich bemerkte, daß meine Gefährten sich langsam von den Stufen hoben und ihre Lippen von den Zähnen nahmen. Die Sonne, die da und dort durchs Laubwerk in den Garten brach, musterte uns schwarz-weiß, schwarz-weiß, schwarz-weiß. Wir schauten zu den Mädchen hin, die plötzlich aufgehört hatten zu schreien, die sich jetzt mit farblosen Gesichtern und rotgeränderten Augen um den Tisch drängten und zu uns herstarrten.

»Ach so«, sagte einer von uns.

Der Großonkel breitete seine Arme aus und trat vor uns hin und schrie, er träume manchmal, daß Birga von Fischen gefressen werde. »Wie unangenehm«, sagte einer von uns und schob den Großonkel weg. Da stürzte Birga vom Tisch her und schrie ihren Großonkel an, der ihr zitternd wie ein getretenes Tier entgegensah: »Warum bist du nicht droben geblieben! Wir hätten es geschafft! Du hast uns an sie

ausgeliefert. Wir hätten es geschafft! Du hast uns an sie ausgeliefert!«
Aber wir standen immer noch, atmeten tief und laut und sahen auf die Mädchen, keiner hob auch nur den Fuß und auch die Mädchen rührten sich nicht mehr. Jetzt merkten es alle, wie heiß dieser Nachmittag war. Die Baumkronen hingen tiefer und alles Laubwerk war schlaff und durchglüht, machte die Hitze feucht, aber hielt sie nicht ab. Es war so still, daß man die Äste ächzen hörte. Wahrscheinlich wären wir für immer so stehen geblieben oder wir wären später langsam heimgegangen – weiß Gott was wir getan hätten –, auf jeden Fall wäre auch jetzt noch alles unentschieden geblieben, wenn nicht plötzlich über das Haus her, ganz dicht über Kamine und Bäume her, ein Donner hereingebrochen wäre, ein tosender Lärm, so hart einschlagend wie ein Koloß aus Stahl, ein Flugzeug, das dicht über uns hinschoß, das uns von der Treppe löste, dessen rasender Schatten uns mitriß, daß wir den Großonkel wegfegten und zum Tisch stürzten: auch jetzt noch kein Laut aus den aufgerissenen Mündern der Mädchen, nur ihre Augen weiter als je zuvor: und ehe der Motorenlärm, ehe auch nur der Schatten des Flugzeugs verschwunden war, waren wir Herr über den Garten, das Haus und die Mädchen. Aber wir waren so sehr Herr geworden über alles, daß wir uns nicht einmal rächten. Trotzdem weinte aus dem Fenster der Mansarde der Großonkel über uns hinweg, in die Zukunft hinein.

Gefahrenvoller Aufenthalt

Als mich damals die Lust überkam, mich auf mein Bett zu legen, wußte ich wirklich nicht, wohin das führen würde. Es war noch nicht Abend. Ich kann auch nicht sagen, daß ich müde war. Wie immer, so war ich auch an diesem Nachmittag einige Stunden am Fenster gestanden und hatte zugesehen, wie sich draußen die Leute durch die Straßen schleppten. Die einen wohnten links von mir, die anderen rechts. Andere Unterscheidungen waren nicht mehr möglich. Ob es an meinen Augen lag oder an den Leuten, vermag ich auch heute noch nicht zu sagen.

An jenem Nachmittag drehte ich mich früher als sonst vom Fenster weg und legte mich, angezogen wie ich war, auf mein Bett. Meine Arme fielen ausgestreckt links und rechts neben mich hin und blieben liegen. Seit diesem Augenblick habe ich auch nicht mehr die geringste Bewegung vollbracht. Am Anfang dachte ich, es sei Müdigkeit, dann dachte ich, es sei eine Laune und eine Lust, den Bewegungslosen zu spielen. Bald konnte ich nicht mehr sagen, ob ich freiwillig liegen blieb oder ob mich eine Krankheit oder noch Schlimmeres dazu zwang. Ich lag einfach. Nun ging aber das Leben weiter. Nicht daß ich das Zimmer hätte verlassen müssen, um einem Beruf nachzugehen. Ich war ja gewohnt, in meinem Zimmer zu sein. Aber auch dem Einsamsten sind heute

Pflichten aufgebürdet, wenn er weiterleben will. Und wer will nicht weiterleben?
Da kamen zuerst die Männer von der Eisfabrik: wie immer hatten sie große rote Gummiröhren über Hände und Arme gestülpt und trugen weiße Eisstangen, die sie wie Säuglinge an ihre Lederschürzen preßten, in mein Zimmer und legten sie auf den Tisch. Sie grüßten mich, streiften das Geld ein, das auf dem gewohnten Platz lag, und schoben sich unter Entschuldigungen, die sie aus wulstigen Mündern murmelten, rasch wieder zur Türe hinaus. Das Eis lag auf dem Tisch und schmolz. Wasser floß in kleinen Rinnsalen durch den Staub, der den Fußboden deckte.
Der blinzelnde Angestellte des Elektrizitätswerkes blieb nachdenklich vor den kleinen Bächen stehen, als er eintrat, um das Geld für Gas und Licht zu holen. Ihm war ich wohl nie besonders vertrauenswürdig erschienen; und die schmalen schmutzigen Bäche, die sich jetzt durchs Zimmer zogen, schienen alles zu bestätigen, was er hinter seinem großen Kassenbuch all die Jahre hindurch über mich gedacht hatte. Aber meine Zähler waren immer in Ordnung gewesen; die Plomben glänzten unversehrt seinem prüfenden Blick entgegen und das Geld fuhr ihm stets von der Tischplatte in die Hand, ehe er noch seine Rechnung gemacht hatte. Er hatte also keinen Grund zur Klage. Und doch seufzte er feindlich gegen mich, als er sich umdrehte und die Tür hinter sich schloß. Das hätte er früher nicht gewagt. Wahrscheinlich hatte er sich jetzt vorgenommen, noch den nächsten Monat abzuwarten, weil er hoffte, daß sich die

Beweise für seine Vermutungen bis dahin in verschwenderischer Fülle in meinem Zimmer aufgehäuft haben würden.

Ich hatte nicht einmal versucht, den Mund zu bewegen, solange er noch in meinem Zimmer stand, obwohl ich spürte, daß es meinen endgültigen Untergang beschleunigen mußte, wenn ich Gedanken wie die seinen ungehindert aufschießen ließ. Warum bewegte ich den Mund nicht? Warum sprach ich kein Wort? Warum? Warum? Die Frage tanzte mir vor dem Gesicht auf und ab und sagte dann, sie sei gar keine Frage, sie sei nur ein Lächeln, das sich jetzt gleich gegen die Zimmerdecke hin auflösen würde, um nie mehr wieder zu erscheinen. Das tat sie denn auch. Sie war plötzlich nicht mehr da, und ich lag wieder ganz ruhig und hatte die Drohung vergessen, die der Kassierer nur mühsam in seinem Gesicht zurückgehalten hatte.

Ja, so war das, damals, in den ersten Zeiten meiner Lähmung. Daß man dieses stille Daliegen auch als eine Lähmung bezeichnen könnte, ist mir erst später eingefallen. Ich habe mir diese Erklärung nie ganz zu eigen gemacht. Für Sekunden allerdings ließ ich es als wohltuende Sicherheit über mich hinströmen, daß ich gelähmt sei und daß eine so schwere Lähmung auch von der Welt respektiert werden müsse. Wenn ich dann aber die Welt inniger bedachte, wies ich es sofort zurück, als gelähmt zu erscheinen. Leute von der Art des Kassierers würden auch von einem Gelähmten das monatliche Geld verlangen, würden von ihm vielleicht noch fordern, daß er sich's wie ein

Bär als Tänzer verdiene. Aber selbst wenn die Welt diese Kassierer nicht zur Verfügung hätte, so dachte ich, selbst dann möchte ich nicht als gelähmt erkannt werden. Ich lag doch freiwillig auf meinem Bett. Ich konnte mich zwar nicht rühren, aber ich, ich selbst hatte mich doch hingelegt. Ich hatte nicht gerade beschlossen, mich nicht mehr zu bewegen, aber ich war es doch, der sich nicht mehr bewegte. Oder war ich es nicht? Wie Wolken schoben sich in jener Zeit die Gedanken in mir. Ich konnte sie nicht hindern, alle Formen anzunehmen; auch Formen, die mich grausam mißhandelten, die pfeifend und schreiend und stechend durch mich hindurchwüteten.

In diesen Zeiten begrüßte ich es noch, wenn die Tür aufging und Leute kamen.

Da kam der alte Mann mit dem listigen Faltengesicht, der vorgab, mir nur die Milch zu bringen. Er konnte sich darauf berufen, dieser Heuchler, daß er schon seit Jahren mein Milchlieferant sei. Als ob es nicht schon bei seinem ersten Besuch ganz deutlich geworden wäre, daß die Milch lediglich ein weißes Getränk in einer Industrieflasche war, das er in einer Sekunde in der Ecke niederstellen konnte, um dann zu seinen eigentlichen Geschäften überzugehen. Als er mich zum erstenmal liegend fand, sprangen die Falten seines Gesichts in so fröhlicher Bewegung durcheinander, daß er sie nicht mehr bändigen konnte. Wahrscheinlich versuchte er es auch gar nicht mehr; warum sollte er jetzt noch heucheln? Ich sah, wie ihm die Hoffnungen aus den Augen wuchsen und ihm fast den Atem benahmen. Neulich leckte er mit seiner

Zunge, die übrigens ganz überraschend und rot aus dem fahlen Greisengesicht fiel, über meine Stirne, als habe er sie auf ihren Geschmack hin zu prüfen. Als er die Zunge wieder in sein Gesicht zurückzog, schien er mit dem Ergebnis recht zufrieden zu sein. Er sagte: »Wollen Sie, daß ich den Amtsarzt hole?«

Ich lag da und schwieg. Er wiederholte seine Frage. Natürlich umsonst. Auf diese gefährlichste aller Fragen würde ich, selbst wenn es noch möglich gewesen wäre, niemals eine Antwort geben. Er wurde ratlos. Da zeigte es sich zum erstenmal, welch eine Waffe mein stilles Daliegen sein konnte. Er fragte immer wieder, ob er den Amtsarzt holen dürfe. Er fragte umsonst. Wütend ließ er noch einmal seine Zunge in meinem Gesicht kreisen und keuchte dann erregt zur Tür hinaus. Wie oft würde es mir noch gelingen, ihn so zu vertreiben? Würde das Schweigen für alle Zukunft genügen, ihn von dem Gang zum Amtsarzt abzuhalten?

Bei seinem nächsten Besuch stellte er zwei Milchflaschen ins Zimmer, obwohl keine einzige der vielen Flaschen, die auf dem Boden herumstanden, auch nur berührt, geschweige denn geleert worden war. Die Milch war natürlich längst verdorben und strömte einen säuerlichen Geruch in den Raum. Der Alte tanzte zwischen den Flaschen herum, zählte sie, streichelte sie und rückte da und dort, um die Unordnung vollkommen zu machen. Dann suchte er, wie er es immer tat, in meinen Schubladen, bis er die Bezahlung für die mitgebrachte Milch gefunden hatte. Wenn er nicht gleich bares Geld fand, kramte er oft lange im Schrank nach Gegenständen oder Kleidungsstücken, die ihm genügen konnten. Aber jedes Mal, bevor er das Zimmer verließ, drängte er sich zu mir her, prüfte mit Zunge und Händen mein Gesicht und fragte, ob er den Amtsarzt holen dürfe. Das Schweigen, das seine Fragen hervorriefen, brachte sein Gesicht in die zornigste Bewegung. Er mußte, um nicht zu ersticken, wieder keuchend aus dem Zimmer rennen.

Ich war nicht stolz. Ich vergaß keinen Augenblick, wie leicht es war, mich ganz zu vernichten. Was diesem trotz aller List doch törichten Alten gegenüber so gut gelang, konnte mich bei einem anderen Besucher ins Verderben stürzen.

Schon die Hausierer ließen sich nicht so leicht vertreiben. Mit großen Körben und Kästen stießen sie die Tür auf und breiteten ihre Waren aus, wo immer sie Platz fanden. Daß ich schwieg und sie gewähren ließ, regte ihren Geschäftseifer gewaltig auf. Das mußte ein Kunde sein, der so ruhig die Ausbreitung auch der unscheinbarsten Artikel gestattete! Dieses Zimmer würde man fröhlich wieder verlassen. Hier gähnten doch offensichtlich Bedürfnisse, die weit über das hinausgingen, was man so im Korb mit sich durch die Straßen schleppte. Hoffnungen, Hoffnungen!

Die vorwurfsvollen Augen dieser verletzlichsten aller Kaufleute hoben sich endlich von den auseinandergelegten Waren zu mir und warteten, daß ich nun mit einer einzigen Handbewegung all das kaufe, was sie mit meiner stummen Einwilligung hierhergetragen

hatten. Das Schweigen hing schwer zwischen uns. Später gerieten die Augen, die mich bestarrten, in Bewegung und hackten schließlich in hellem Haß in mich hinein. Fäuste kamen dazu und Zungen. Es war gut, daß ich mir schon abgewöhnt hatte, für mich zu fürchten. Die Hausierer sahen sich getäuscht. Sie glaubten, sie seien einem lüsternen Geizhals zum Opfer gefallen, einem Leuteschinder ohnegleichen.
Wie gefährlich konnten mir diese empörten Besucher werden! Wenn sie mein Verhalten so grausam und hinterhältig fanden, daß sie eine Entschädigung oder zumindest eine Genugtuung durch die Staatsgewalt erhoffen konnten, dann würde die Polizei den Amtsarzt geradezu hinter sich zur Tür hereinziehen. Aber die Hausierer schienen bei ihrem schweren Geschäft schon so schlimme Erfahrungen gemacht zu haben, daß ihr Zorn diese für mich gefährlichen Auswege gar nicht suchte. Sie entschädigten sich lediglich mit Gegenständen aus meiner Zimmereinrichtung. Niemandem gönnte ich dies mehr als ihnen. Was aber, wenn mein Zimmer leer ist? Welchen Weg wird ihr Zorn dann gehen? Und, selbst wenn ich dieser Gefahr entrinne, wie entrinne ich jener, die mir durch die Mitbewohner dieses Hauses täglich entsteht?
Ich habe nie mit ihnen gesprochen. Aber daß ich früher jeden Nachmittag einige Stunden beobachtend am Fenster stand, das hat sie immer empört. In Sprechchören sind sie gegen mich aufgetreten und in den dunklen Gängen dieses Hauses reichten sie sich flüsternde Botschaften, die mir galten. Nun fehle ich ihnen. Und ehe sie sich die Mühe machen, einen an-

deren Gegner zu suchen, der sie einigt, einen Gegner, von dem sie auch noch nicht wissen können, ob sie es so leicht mit ihm haben werden wie mit mir, ehe sie sich diese Mühe machen, werden sie alles versuchen, mich wieder ans Fenster zu bringen als den sichtbaren Gegner, den sie brauchen. Wenn das nicht gelingt – und es gelingt sicher nicht –, dann werden sie sich an mir rächen, weil ich mich als Feind entzog. Schon kratzen sie draußen im Gang an den Wänden entlang und zünden nervös Streichhölzer an. Wahrscheinlich warten sie nur, daß der Hausbesitzer nach dem Grund ihrer Unruhe fragt, dann können sie ja eine gründliche Untersuchung der jüngsten Unregelmäßigkeiten fordern. Und wenn der Hausbesitzer erst eingreift, ist in zwei Stunden der Amtsarzt da, und ich bin verloren.

Ja, das muß ich mir jetzt schon eingestehen, den Amtsarzt kann ich durch nichts mehr vertreiben. Bisher war es mir immer noch gelungen, die Wege, die ihn herführen konnten, zuzuschütten: der Alte, der die Milch brachte, war zu töricht, ihm genügten die kleinen Räubereien in meinen Schränken; die Hausierer waren so gedemütigt, daß sie einen entscheidenden Schritt nicht wagten; aber wenn der Kassierer sich wieder zur Tür hereinschiebt, die säuerliche Luft der Unordnung durch die Nase zieht und blinzelnd bemerkt, daß der Zähler noch auf dem alten Stand ist, obwohl die Plombe unversehrt glänzt, ja dann ..... dann wäre es selbstverständlich, daß er sich umdrehte, um zum nächsten Zähler zu gehen. Aber weil das Selbstverständliche nie geschieht, wird er aus den durcheinandergestürzten Gegenständen des Zimmers einen Faden herauslösen und diesen nicht mehr loslassen, bis er das ganze Zimmer wieder zu einem ordentlichen Knäuel aufgewickelt hat, den er dann dem Amtsarzt zur Prüfung ins Sprechzimmer tragen kann.

Und selbst wenn ich diesen Kassierer noch abwehren könnte, wer hilft mir dann gegen die schreienden Stimmen der Männer von der städtischen Müllabfuhr? Zweimal in der Woche rollt dieses riesige Auto in die Straße, zweimal in der Woche stürzen sich diese Männer von den vielen Trittbrettern in mein Zimmer und wollen Erklärungen über den leeren Mülleimer. Sie fürchten wahrscheinlich, daß ich sie überflüssig machen will, daß ich vielleicht ein übermächtiger Erfinder bin, der den Unrat in anderes Wesen auflöst. Noch finden sie jedesmal Gegenstände in meinem Zimmer, die sie durch die Luft schwenken und triumphierend hinaustragen können. Aber die Lasten werden allmählich schon so gering, daß es fast lächerlich aussehen muß, wenn diese breiten Männer mit meinen kleinen Brettchen auf die Straße hinaustreten und so tun, als seien sie in notwendiger Arbeit. Und dazu singen sie noch! Was erst, wenn ihre große Kraft einmal völlig vergeblich durch mein leeres Zimmer tobt? Schreien werden sie, daß es durch alle Straßen hindurch dem Amtsarzt in die Ohren kommt. Aber – das muß ich jetzt schon sehen – das wird gar nicht mehr so lange dauern, bis mein Zimmer ganz ausgeräumt ist.

Die anderen Mieter haben inzwischen Botschaften

hin- und hergetragen, bis endlich auch der Hausbesitzer davon angezogen wurde. Wahrscheinlich hat er auch von den ansässigen Geschäftsleuten gehört, daß ich nicht mehr zum Einkaufen komme. Heute ist es nun einmal so, daß die Geschäftsleute gern eine amtliche Untersuchung einleiten lassen, wenn ein Kunde ausbleibt. Der Hausbesitzer aber, der immerfort unterwegs ist, hat sich wahrscheinlich sofort verpflichtet, alles selbst in die Hand zu nehmen. Er hat jetzt genug gehört. Noch einmal fährt er auf dem Treppengeländer lautlos und rasch durch das ganze Haus. Manchmal unterbricht er seine rasende Fahrt zwischen zwei Stockwerken, lauscht in die Gänge hinein, hört, was er hören muß, und gleitet schnell und sicher hinunter zur Haustür und hinaus auf die Straße.

Ich weiß es doch.

Der Amtsarzt kommt ihm bis zur Tür des Sprechzimmers mit ausgebreiteten Armen entgegen, dankt ihm mit dem aufgerissenen Mund, der Goldzähne zeigt, und sagt, daß er schon längst von diesem Fall wisse, daß er aber erst kommen dürfe, wenn er geholt werde.

Das geschehe hiermit, wird mein Hausbesitzer mit einer großen feierlichen Handbewegung sagen. Jetzt können sich dann beide ineinander verschlingen, wie es die tun, die sich lieben. Auf dem Weg hierher müssen sie sich abwechselnd davor zurückhalten, in einen allzu atemberaubenden Lauf zu verfallen. Der Amtsarzt wird eintreten, die rechte Hand besorgt an seinem dunklen Vollbart, wie er es von Robert Koch

gehört hat. Der Hausbesitzer aber wird bei der Tür stehen bleiben, als sei er sehr überrascht, mich liegend anzutreffen.
Ich aber werde keine Zeit mehr haben, den Hausbesitzer zu beachten, weil mein finsterer Feind inzwischen schon die Hand nach mir ausgestreckt haben wird.
Alle konnte ich durch mein stilles Daliegen verwirren und täuschen und hinhalten. Kleine Beute aus meinem Zimmer genügte ihnen. Und wenn nur das Zimmer so unerschöpflich wäre wie mein Wille, still in ihm zu liegen, dann müßte mein schweigender Aufenthalt niemals enden; vorausgesetzt, daß es mir auch gelungen wäre, dem Amtsarzt zu entgehen. Ich weiß, daß mir das nicht gelungen ist, daß er gleich eintreten wird, und ich weiß, daß er mein stilles Daliegen nicht duldet. Sogar ich selbst habe darauf verzichtet, mein schweigendes Verharren auf dem Bett erklären zu wollen. Ich habe alle Qualen dieses ungewissen Liegens auf mich genommen. Ich habe endlich auch das Fragen in mir erwürgt. Ich lag nur noch da und hütete die Stille.
Aber was ist das dem Amtsarzt? Dastehen wird er und nach meiner Hand greifen, und dann wird er sich nahe über mich beugen, neugierig mein Auge in die Hand nehmen und endlich die Frage an mich richten, die ich vermieden hatte. Er wird fragen: »Geben Sie zu, daß Sie tot sind?«
Vielleicht, nein, sicher sind ihm meine Versuche widerlich gewesen. Dann wird er sagen: »Geben Sie's doch zu, daß Sie tot sind!«

»Ja, durch Sie«, werde ich antworten, um ihn fühlen zu lassen, mit welcher Anmaßung er einen großen Versuch zerstörte. In dieses letzte Wort, das mir da gelingen muß, will ich allen Haß legen, allen Haß, den der Vernichter eines so unendlichen Unternehmens verdient.

Ich suchte eine Frau

Bei jedem Schritt zögernd, als müsse ich wie ein junger, noch ungeübter Seiltänzer ein bißchen Halt ertasten, die Hände schlaff an den Seiten und nur verhalten atmend, so trat ich in den Saal und ließ mich vom Strom der anderen Besucher auf die Stuhlreihen zutreiben; so betritt einer die Kirche einer fremden Religion. Jeder Besucher im Saal war für mich ein Eingeweihter, von jedem fühlte ich mich beobachtet, beargwöhnt sogar, weil ich ein Neuling war bei diesem Verein; oder war's eine Sekte, eine Partei oder noch Schlimmeres! Jetzt bereute ich es schon fast, daß ich mich hereingewagt hatte.

Aber wie anders konnte ich versuchen, die Dame wiederzufinden, die draußen auf dem Bürgersteig vor mir hergegangen war. Meine Augen hatten sich in ihrem Nacken verfangen, genau an der Stelle, wo aus der kleinen Grube zwischen den Sehnen ihre Haare aufstiegen zu einer Frisur, die ich nicht beschreiben kann, weil ich es nicht vermocht hatte, meine Augen von ihrem Haaransatz zu lösen. Dann war dieser Nacken vor mir plötzlich nach links abgebogen.

Ich hatte es eigentlich erst bemerkt, als ich an der Saaltüre, durch die sie verschwunden war, von einem Saalordner aufgefordert wurde, meine Garderobe abzugeben. Ich hatte wortlos gehorcht, um so rasch als möglich wieder hinter meine Dame zu kommen.

Nachgerade hätte mich ihr Gesicht interessiert. Aber als ich in den Saal eingetreten war, sah ich sie nicht mehr. Ich hoffte, sie wiederzufinden, wenn alle Besucher Platz genommen haben würden.
Das dauerte sehr lange.
Es war, als wolle sich keiner zuerst hinsetzen. Alle trippelten durcheinander, schüttelten Hände, wo immer sich Hände boten; viele schienen miteinander befreundet oder doch so gut bekannt zu sein, daß sie es wagen durften, sich auf die Schultern zu klopfen. Ich hatte natürlich nicht die mindeste Lust, mich als erster zu setzen; ich trippelte nicht weniger eifrig, wenn auch viel ängstlicher als die anderen, durch die Stuhlreihen und Seitengänge, hatte ich doch immer noch die Hoffnung, die Dame zu finden, um derentwillen ich mich hier hereingewagt hatte. Sah ich irgendwo eine Frau, spielte ich mich rasch in ihren Rücken, prüfte den Nacken, den Haaransatz und war immer enttäuscht, denn es waren immer andere Nakken, mir ganz fremde Haaransätze. Da sah ich runde Säulenhälse, die jene zarte Grube längst verloren, vielleicht sogar nie besessen hatten! Noch schlimmer waren die dürren Spindelhälse, deren Sehnen messerscharfe Grate bildeten, über die hin geräuschvoll harte Haare raschelten. Nirgends der Hals, nirgends die Nackengrube, die mich hierher gezogen hatten. Und jetzt klingelte es schon. Das Trippeln rundum wurde hastiger, das Händeschütteln verendete, die Grüppchen lösten sich auf, jeder suchte sich eine Stuhlreihe, in der er sich, unter erneuten Verbeugungen nach links und rechts, behutsam setzte.

Ich sah noch einmal über alle hin, strengte meine Augen an, daß sie brannten, dann ließ ich mich auf den ersten besten Stuhl fallen und nahm mir vor, während der Veranstaltung – von deren Verlauf ich noch keine Ahnung hatte – ein bißchen herumzusehen; vor allem aber wollte ich die Pause benützen – wenn es eine solche gab – meine Suche fortzusetzen. Von einer durch alle Stuhlreihen flutenden Bewegung erfaßt, drehte auch ich meinen Kopf zur vorderen Saalhälfte hin und sah, daß dort eine Bühne war und ein Vorhang, der in diesem Augenblick bewegt wurde, sich teilte und einen Herrn entließ.
Der trat bis an den Bühnenrand auf ein Rednerpult zu – – – da interessierte mich der Vorgang schon nicht mehr, ich schweifte ab, konzentrierte meine Augen wieder auf die Stuhlreihen.
Ich hörte reden. Wahrscheinlich war es der Herr, der gerade ans Pult getreten war. Ich suchte nach der Frau. Der Herr redete weiter. Ich aber ließ meine Augen langsam wie Suchscheinwerfer über den Saal gleiten, bewegte dabei den Kopf so gut wie gar nicht, um denen, die um mich her saßen, nicht zu verraten, wie wenig der Redner mich störte.
Manchmal, wenn ich glaubte, jemand habe bemerkt, daß ich nicht zuhörte, erstarrte ich für einige Sekunden völlig und fror vor Angst, man würde mich öffentlich zurechtweisen. Dann nahm ich mir vor, nicht mehr zu suchen, die Pause abzuwarten, fürchtete aber sofort, daß es vielleicht gar keine Pause gebe, daß ich also darauf angewiesen sei, jetzt zu suchen – und ich suchte. Ich weiß nicht, wie lange der

Redner sprach, ich weiß nicht, wie viele Redner einander ablösten.
Manchmal brach Beifall aus. Dafür war ich sehr dankbar. Für mich war das doch eine Gelegenheit, rascher umherzuschauen, intensiver zu suchen. Ich klatschte mit, mehr als alle anderen, und schaute hitzig nach allen Seiten, tat so, als hielte ich Ausschau nach einem Bekannten, dem ich zunicken wollte, um ihm dadurch gewissermaßen mitzuteilen, wie sehr wir uns freuen durften, solchen Reden lauschen zu können. Obwohl der Beifall oft lange anhielt und ich sogar manchmal aufsprang und kühn im Saale herumblickte, als wolle ich alle zu noch größerem Beifall auffordern, es gelang mir nicht, jene Frau zu entdecken. Aber ich war nun einmal an diesen Nacken gefesselt; und wer je Ähnliches erlebte, weiß, daß ich mich am Ende der Versammlung nicht mit einem billigen Trost abspeisen konnte, der Art vielleicht, daß ich es am besten dem Zufall überlasse, mich noch einmal in die Nähe dieser Frau zu bringen. Und wenn der Zufall nicht will, dachte ich dann ... nein, nein, so leicht konnte ich es mir nicht machen! Ich fragte einen Saalordner, wann wieder eine Versammlung sei. Er sagte mir, wenn ich an einer engeren Verbindung interessiert sei, möchte ich ihm meine Anschrift geben, er werde dafür sorgen, daß ich zu allen Veranstaltungen eingeladen werde.
Ich gab ihm meine Anschrift und ein Trinkgeld dazu, das meine Verhältnisse bei weitem überstieg. Ich war so glücklich! Es handelte sich doch offensichtlich um einen richtigen Verein, dessen Veranstaltungen fast

immer nur von Mitgliedern besucht wurden. Wahrscheinlich war sie Mitglied. Dann würde es mir auch gelingen, sie wiederzufinden. Ich frohlockte, als ich wenige Tage später die erste Einladung erhielt und – wer beschreibt meine Freude – ein Formular, das ich nur ausfüllen mußte, um Mitglied dieses Vereins zu werden. Die Statuten durchzulesen war mir unmöglich, weil mich der Gedanke, Mitglied eines Vereins zu werden, dem auch sie angehörte, zu sehr erregte. Als ich dann die zweite Versammlung verließ, ohne sie gesehen zu haben, war ich ein bißchen niedergeschlagen, aber ich sagte mir gleich, daß ich dazu eigentlich keinen Grund hatte. Wie hatte ich hoffen können, daß mich der Zufall gerade auf den Stuhl setzen würde, von dem aus ich ihren Nacken entdekken konnte! Ich mußte meine Suche mit System fortsetzen. Das war mir um so leichter möglich, als der Verein ja auf Jahre hinaus ein reichhaltiges Veranstaltungsprogramm garantierte. Zuerst stellte ich einmal im Mitgliederverzeichnis die Zahl der Frauen fest. Und all diesen weiblichen Mitgliedern mußte ich mich jetzt vorstellen lassen. Das schien eine langwierige und große Gewandtheit erfordernde Arbeit zu werden, genügte es doch nicht, daß ich der jeweiligen Dame verschämt meinen Namen entgegenmurmelte; es genügte auch nicht, daß ich ihr so lange als schicklich und möglich ins Gesicht starrte; ich mußte mich, kaum daß ich ihr ins Gesicht gesehen hatte, in ihren Rücken spielen, um sie auf Haaransatz und Nackengrübchen hin prüfen zu können. Ich war bis dahin ein einsilbiger Mensch gewesen. Diese Aufgabe aber, so vielen Frauen in öffentlicher Gesellschaft in den Nacken zu starren, diesen Anblick sorgfältig und ausgiebig mit dem Bild zu vergleichen, das ich in meiner Erinnerung bewahrte, diese Aufgabe, die ich Abend für Abend unter Wahrung von Sitte und Schicklichkeit zu lösen hatte, machte aus mir einsilbigem Menschen einen geschmeidigen Wortefinder.

Obwohl ich aber in all den zahlreichen Versammlungen in dieser Weise mit meinen eigenen Plänen beschäftigt war, ließ es sich doch nicht verhindern, daß mir gewissermaßen nebenher und ohne meinen Willen die Reden, die hier ununterbrochen gehalten wurden, in die Ohren drangen und sich in meinem Unterbewußten ablagerten und breitmachten. Ohne daß ich je mit wacher Aufmerksamkeit begriffen hätte, welche Ziele mein Verein hatte, hatte ich doch schon nach wenigen Jahren eine ganze Menge Einzelheiten im Kopf; es waren Fetzen aus vielen Reden, wahrscheinlich immer die lautesten Stellen; aber ich konnte, wenn ich gefragt wurde, mit solchen Brokken, die ich wörtlich aus meinem Unterbewußten heraufzuholen vermochte, wie ein gutes, interessiertes Mitglied antworten. Und dann läßt es sich ja gar nicht vermeiden, daß man als halbwegs intelligenter Mensch ganz von selbst Beziehungen herstellt zwischen solchen unwillkürlich aufgefangenen Bruchstücken. Ich darf von mir behaupten, daß ich solche Beziehungen niemals absichtlich herstellte, dazu war ich viel zu sehr mit der Suche nach jener Dame beschäftigt.

Nun wurde allerdings auch diese Suche mit der Zeit

zu einer Tätigkeit, die sich von selbst vollzog. Ohne daß ich mich dazu anhalten mußte, ließ ich mich Abend für Abend weiblichen Mitgliedern vorstellen – der Bestand schien unerschöpflich – und ohne daß ich noch genau wußte, was ich tat, spielte ich mich alsbald der jeweiligen Dame in den Rücken. Die Enttäuschung, den gesuchten Haaransatz wieder einmal nicht gefunden zu haben, spürte ich allmählich nicht mehr. Für mich war es bloß noch wichtig, auch diese Dame wieder auf der Liste der weiblichen Mitglieder als geprüft abhaken zu können. Vielleicht ist dem und jenem Mitglied aufgefallen, daß ich mich so danach drängte, allen Damen vorgestellt zu werden, vielleicht belächelte man meine Sucht, die Damen aus nächster Nähe von hinten zu bestarren, aber man ließ mich machen, das genügte mir, das erfüllte mich diesem Verein gegenüber mit wirklicher Dankbarkeit. Und wenn man einmal an mich herantreten wird, mich bitten wird, auch einmal eine Rede, ein Referat zu halten, so werde ich – obwohl ich eigentlich uninteressiert bin – diesem Wunsche nachkommen.

Aus dem Verein auszutreten, bloß weil die Zahl der noch zu prüfenden Damen sich im Laufe der Jahre doch sehr verringert hatte, das hätte ich nicht über mich gebracht. Ich verlangsamte mein Arbeitstempo, benützte nur noch jede fünfte und später nur noch jede zehnte Versammlung zu meinen Recherchen. Daß ich Versammlungen überstand, ohne meinen eigenen Plänen nachzugehen, erfüllte mich mit großer Verwunderung. Später beschloß ich sogar, gar nicht alle Damen zu prüfen und die Nachforschungen ganz einschlafen zu lassen. Vielleicht war die Gesuchte ausgetreten, vielleicht hatte sie ihre Frisur geändert oder gar ihre Haarfarbe, vielleicht war dieser Nacken fett geworden, von mir aus: die Reden unzähliger Vereinsabende hatten alles zugedeckt, eingeebnet mit dem Flugsand ihrer unmerklichen Worte. Und heute bin ich soweit gekommen, daß es einer Anstrengung bedarf, wenn ich mich daran erinnern will, daß ich früher einmal die Vereinsabende zu recht persönlichen Zwecken benützte. Wenn ich daran denke, schäme ich mich, und ein schlechtes Gewissen rötet mir die Schläfen.

Mich tröstet der Gedanke, daß meine Verfehlungen einer wohlbehüteten Vergangenheit angehören. Manchmal ertappe ich mich zwar noch dabei, wie ich mich einer Dame, der ich gerade vorgestellt wurde, um die Schulter herumspiele, während meine Lippen irgendeine zarte Ausflucht formulieren, um den Sog, der mich in den Rücken meiner Gesprächspartnerin zerrt, gesellschaftlich zu rechtfertigen; aber ich reiße mich immer noch rechtzeitig zurück, murmle eine Entschuldigung, spiele für einen Augenblick den Zerstreuten, sammle mich dann aber rasch zu heller Aufmerksamkeit und sehe meinem Gegenüber voll und breit ins Gesicht. Diese Anfälle beunruhigen mich nicht weiter. Sie verlieren sich nach und nach, und selbst wenn sie auftreten, sind sie leicht zu bestehen, sie sind gewissermaßen ziellos, und erst eine nachträgliche Gedankenarbeit erweist sie mir als Überbleibsel aus meinem Vorleben.

Was mich aber am meisten über dies Vorleben tröstet, ist der Nutzen, den ich dem Verein dank meiner Erfahrungen gestiftet zu haben glaube. Einmal sollte nämlich darüber abgestimmt werden, ob Nichtmitglieder zu Versammlungen zugelassen werden dürfen oder nicht. Viele plädierten für eine strenge Kontrolle am Saaleingang, um zu verhindern, daß Fremde in den Genuß einer Versammlung kämen. Ich sprach gegen diese Ansicht. Ich hielt bei dieser Gelegenheit die einzige Rede meiner Vereinslaufbahn. Unsere Türen müßten offen bleiben, sagte ich, ganz gleich, wer von der Straße hereinirre und mit welchen Absichten! Der Verein müsse stark genug sein, sagte ich, solche Fremdlinge zu verdauen! Ich sprach dabei vom »mächtigen Schoß unseres Vereins« und fand viel Beifall. Meine Rede bewirkte, daß unsere Türen offen blieben und offen bleiben werden. Ich glaube, darauf darf ich stolz sein, denn wie anders sollten wir je zu neuen Mitgliedern kommen!

Der Umzug

Wir waren schon längere Zeit verheiratet, hatten es auch zu einem Kind gebracht – zu einer Tochter übrigens –, da sagte Gerda, meine Frau: allmählich beginne sie es meinem Vater übelzunehmen, daß er mich nichts anderes habe lernen lassen, als Fahrräder zu reparieren. Nun bin ich ein fröhlicher Mensch und gebrauche meine Lippen vor allem dazu, vor mich hinzupfeifen. Aber als ich meine Frau so sprechen hörte, bogen sich mir die Lippen ganz von selbst zu einer mir gänzlich ungewohnten Rundung und daraus entfuhr ein Pfiff, den ich bei mir noch nicht gehört hatte. Ich erinnerte mich, in den Filmen, die ich samstags mit Vorliebe besuchte, da ließen sich die einschlagenden Granaten von solchen Pfeiftönen begleiten. Da ich aber diese Situationen nur als Zuschauer ertragen kann, in gut gepolsterten Sitzen, die mindestens in der zehnten Reihe oder noch weiter hinten liegen müssen, wandte ich mich ab und versuchte zu vergessen, was ich aus dem Munde meiner Frau hatte hören müssen.

Aber ich vergaß nicht, konnte nicht vergessen, denn Gerda sagte schon am nächsten Tag: »Ich geniere mich so vor den Leuten.« Und ihre Augen sahen mich nur noch wie durch gut eingefaßte, wenig benützte Knopflöcher an.

Nun muß ich aber die Entwicklung der Dinge in aller Sorgfalt ausbreiten, wenn ich verstanden werden will. Und das will ich, denn inzwischen wurde begonnen, Schuld auf meine Schultern zu laden, die ich nicht tragen kann.

Meine Frau hatte ich im Kino kennengelernt. Ja, so fing es an. Samstags. Vierzehnte Reihe. Auf der Leinwand flog ein breitschultriger Mann mit Tropenhelm, flog mit einem winzigen Flugzeug tief über dem Urwald dahin, und zuletzt holte er die weiße Frau doch noch aus den sehnigen Armen des dunklen Barbaren, der sie gerade in die Schilfhütte schleifen wollte. Als der Mann mit dem Flugzeug und den breiten Schultern die Frau an sich preßte, der Wilde aber in seinem Blut, das durch die Revolverwunde sickerte, verröchelte und vergeblich das wenige Weiße seiner Augen zu dem ineinander versunkenen Paar der hygienischen Europäer hinaufdrehte, da atmete ich erleichtert auf, seufzte auch und sah zufällig nach rechts, wo ein Mädchen saß, das in diesem Augenblick auch so aufatmete und nach links schaute, wo ich saß.

Ich trug samstags immer meinen guten Anzug. Schmal stach daraus mein Hals auf und die glänzende Krawatte stand wohlig und anziehend vor meiner Brust. Wir gerieten also aneinander. Heirateten sogar. »Kommen wir aus mit 65 Mark die Woche?« hatte ich übervorsichtig gefragt, weil ich sah, wie schmal ihre Hände waren. Sie hatte solche Fragen geradezu verboten und war beleidigt, wenn ich Überlegungen dieser Art anstellen wollte. Ich machte Überstunden in der Werkstatt und begann abends an Erfindungen zu arbeiten, auf die die Menschheit nun nicht länger warten sollte. Um genau zu sein: es war Gerdas

Wunsch, daß ich mich allabendlich über das mit Papier bespannte Bügelbrett bücken sollte, um Neues zu entwerfen. Ihr zuliebe bedeckte ich das schöne Papier mit allerlei Linien. Flüchtete mich aber bald zu Blech und Draht und ähnlich vertrautem Material. Da krümmte und bog und fädelte ich dann abstruse Gegenstände zusammen, bis Gerda, die mich streng beobachtete, zufrieden lächelte und beteuerte, daß sie das alles ihren Eltern schreiben werde, um denen endlich einmal zu beweisen, daß die Tochter in die Arme eines ihrer durchaus würdigen Mannes eingegangen sei. Auf solche Redensarten achtete ich damals viel zu wenig. Erst heute klingen sie in mir bedeutungsvoll auf.
Meine Erfindungen wurden leider nicht im rechten Maß gewürdigt von der mitlebenden Umwelt. Eine Fahrradklingel, gekoppelt mit der Rücktrittbremse, hatte ich konstruiert. Sie wurde abgelehnt, weil überkluge Spezialisten wissen wollten, daß es zu spät sei, zu klingeln, wenn man schon gebremst habe. Das Klingeln soll das Bremsen unnötig machen, meinten diese Herrn, nur so habe es im stets sich beschleunigenden Straßenverkehr seine Berechtigung. Nun gut. Ich wollte nicht streiten. Hoffte auf die Nachwelt, ließ meine Lippen pfeifen, soviel sie wollten, und brachte, angetrieben von Gerda, im Lauf der Zeit doch vier Erfindungen unter Patentschutz. Ich gestehe allerdings, daß mir dieser Schutz angesichts meiner Erfindungen fast ein bißchen überflüssig vorkam.
Gerda wollte nun an unserer Wohnungstür ein Schild

anbringen, auf dem unter meinem Namen das Fremdwort »Ingenieur« stehen sollte. Das erlaubte ich nicht. Wenn die Erfindungen Erfolg haben würden, sagte ich, dann schon.

So lebten wir denn vorerst weiter von den Einkünften meiner Werkstattarbeit und waren auch damit zufrieden; ich mehr, Gerda weniger. Dann aber starb Gerdas Onkel, der als Junggeselle im vornehmsten Viertel unserer Stadt seine Tage gezählt hatte. Daß er außerdem noch etwas getan hätte, ist mir nicht zu Ohren gekommen. Und Gerda, die ihn manchmal besucht hatte, erbte jetzt seine Wohnung. Das war ein Aufschwung. Unter Beteuerung meines ehrlichen Mitleids ließ ich die Bewohner unserer um so viel ärmlicheren Straße zurück. Gerda fand keine Zeit mehr, sich von unseren bisherigen Nachbarn zu verabschieden.

Mit unseren schmalen Möbeln stießen wir nicht ein einziges Mal an, als wir in die Wohnhallen des verblichenen Onkels einzogen. Als wir dann unsere Stücke gleichmäßig auf die sechs Zimmer verteilt hatten und einen ersten Rundgang machten, hatten diese heimtückischen Hallen alle unsere Möbel gefressen. Wir fanden da und dort noch einen Stuhl, aber nur, wenn wir ganz nah hingingen und danach tasteten. Aber wir waren doch sehr stolz auf diese große Wohnung, die uns gar nichts kostete, weil der gute Onkel sie als Eigentum erworben hatte. Jeden Morgen frühstückten wir jetzt auf dem geräumigen Balkon und grüßten händeschwingend hinüber, hinunter und hinauf zu den anderen Balkons, die an den großen stillen Häusern klebten. Wir waren fröhlich und wollten auf gute Nachbarschaft halten. Aber ringsum saßen Menschen, die sich nicht bewegten. So sehr ich auch hinschaute, niemals sah ich einen die Hand regen, den Kopf heben oder gar den Mund auftun. Am Vormittag schoben sich unsere neuen Nachbarn aus den Zimmern heraus auf die Balkone. Aber so langsam waren ihre Bewegungen, wenn es überhaupt welche waren, so langsam, daß man sie einfach nicht erkennen konnte. Na ja, dachte ich, beim Mond bemerkt man's ja auch nicht. Diese Leute waren wohl viele hundert Jahre älter als das gelenkige, immer händeschüttelnde und durcheinanderlaufende Volk, das in unserer alten Straße gewohnt hatte. Die hier mußten wahrscheinlich fürchten, in ein Häufchen weißlichen Mehls zusammenzufallen, wenn sie sich in einer allzu plötzlichen Regung ihrer wenigen Festigkeit beraubten. Beim Frühstück saßen sie aufrecht und ernst. Von jedem Mund führte eine farblose Röhre in eine Schale hinein. Ich vermutete, daß ihnen mit solchem Röhrenwerk die kostbare Nahrung ins Innere gepumpt wurde. Nach dem Frühstück wurden sie durch den Druck auf irgendeinen Knopf samt ihren Stühlen ins Innere ihrer Häuser gesogen. Wenige Minuten später rollten große Autos unhörbar aus den Gärten, darin saßen hinter den steifen Chauffeuren, weit zurückgelehnt und wieder bewegungslos, die silbrigen Herrn, denen in der Zwischenzeit jemand senkrechte Hüte aufgesetzt hatte. Die Frauen dieser Herrn rollten später mit kleineren Autos ebenso still davon. Erst dann kam ein kleines

Geräusch auf in der Straße. Klappern dünnen Geschirrs und motoriges Brummen praktischer Hausgeräte.

Wenn ich einmal mein Fahrrad gerade in dem Augenblick aus dem Tor schob, in dem eines dieser mächtigen Autos seine Bahn vorüberzog, spürte ich einen Hauch unendlicher Kälte, der mir auch in Hochsommertagen schaurige Gänsehäute verursachte und alles Pfeifen meiner Lippen jäh einfrieren ließ. Aber nur für eine Sekunde, dann fand ich mich wieder und pfiff, daß die regungslose Straße ängstlich klirrte.

In all der Zeit dachte ich nicht viel nach über diese Straße. Wir hatten eine Wohnung, mußten keine Miete bezahlen, obwohl die Wohnung so groß war, daß ich oft lange laufen und tasten mußte, bis ich Gerda schmal vor einer der riesigen Wände fand. Was kümmerte es mich, wenn diese Straße oft so erfroren aussah. Ich hatte die Vögel nicht vertrieben aus den Vorgärten. Das hatten die getan, die die Bäume und die Büsche vertilgt und gußeisernes Schmiedewerk an deren Stelle aufgerichtet hatten. Kunstvoll zwar, aber ganz ohne Atem. Da und dort hatte man Zwerggewächs gesetzt. Zerrbild des Natürlichen, traurig an Wald und richtigen Baumwuchs erinnernd. Hatten die in aller Äußerung so verhaltenen Bewohner Angst vor natürlicher Baumgröße? Fürchteten sie, daß die kräftigen Wolken, die im Frühjahr aus den Blüten fahren, ihre empfindlichen Schleimhäute ätzten oder gar das sorgfältig behütete Innere in Aufruhr brachten?

Am Anfang hielt ich's für eine Marotte, jetzt denk'

ich, es muß eine Krankheit sein, die noch keinen Namen hat. Als ich es noch für eine Marotte hielt, meinte ich, die Leute hier seien spaßig geworden durch ihre besonderen Verhältnisse. Ich dachte, vielleicht wissen sie nicht, daß man sich tatsächlich bewegen kann, ohne gleich einen Arm und den Hals dazu zu brechen. So trat ich denn oft am Morgen auf den Balkon und turnte ein bißchen. Keine körperliche Raserei und waghalsige Akrobatik, o nein, das ist auch mir zuwider. Mehr ein Räkeln in der Frühluft, ein kleines Spiel der Gelenke und dann und wann ein kindliches Muskelmanöver. Ich dachte, die alten Menschen rundum sehen zwar nicht her, sollen sie auch gar nicht, aber wenn ihre Augen überhaupt noch Augen sind, dann muß ihnen meine schüchterne Bewegung doch eine Spur von Leben in die Pupille streuen; und vielleicht gelingt es so, diese Pupillen noch einmal zur Regung zu bringen, bevor sie brechen. Vielleicht löst sich die Starre der Augen, teilt sich noch dem Genick mit, der Kopf fängt an sich zu drehen, die Schultern gar, und rundum auf allen Balkons begänne ein Tanz, der später bis zu einem wirklichen Händedruck könnte erweitert werden. So meine Hoffnung. Aber umsonst. Ich bewegte mich und ich muß auch bemerkt worden sein. Denn, wie von einem einzigen großen Motor gelenkt, drehten sich die alten Menschen ringsum von mir weg. Ruhig, kaum merkbar kreisend, wurden sie alle so gedreht, daß sie später unserem Balkon den Rücken zuwandten. Und als ich es dann mit Pfeifen probierte, die Lippen spielen ließ wie niemals zuvor, alle vertriebenen Vögel ersetzte und sogar übertraf, da ließen die seltsamen Nachbarn sich von ihren Häusern einsaugen, so fließend, wie eine Schnecke sich bedächtig in ihren verhärteten Schutz zurücknimmt, wenn ihre empfindlichen Fühler es wollen. Wie sollte ich diese Nachbarn begreifen? In den Straßen, die ich kannte, war das anders gewesen. Da hatte man sich abends vor dem Haus getroffen, hatte irgendeinem in die Wohnung geschaut, und wenn einer in den Blumentopf spuckte, der auf dem Fenstergesims stand, so mäkelten höchstens die Frauen und machten es unter sich aus, die Männer zu strafen. Aber hier? Auf allen Balkons die gleichen ununterscheidbaren Gesichter aus Schlafgips und Totenkalk.

Gerda bemerkte natürlich, wie sehr man uns allein ließ. Sie war den ganzen Tag zu Hause und erfuhr manches, was ich nur ahnen konnte. Sie wurde anders als sie war. Früher hatte sie beim Frühstück auf dem Balkon gelacht, daß es weithin quirlte. Sie hatte die Hände zusammengeschlagen, wenn ich etwas erzählte, und flink waren ihre Bewegungen gewesen, wenn sie auf dem Tisch hantierte. Jetzt aber lachte sie nicht mehr. Dann und wann hob sie noch die Augenbrauen, aber nur sehr langsam und vorsichtig, als tue sie heimlich Verbotenes. Das schallende Klatschen ihrer Hände war zusammengeschrumpft zu einer kaum noch wahrnehmbaren Bewegung des kleinen Fingers, den sie sanft auf das Tischtuch klopfen ließ. Und den Tisch richtete sie nur noch im Zimmer, schob ihn langsam wie einen Schwerkranken auf den Balkon und folgte vorsichtig nach. Mir verbot sie zu pfeifen und

sah mich mißbilligend an, wenn ich in lautes Lachen ausbrach. Jeden Tag gab sie mir neue Anweisungen, wie ich das Fahrrad vors Tor zu schieben habe, wie ich mit der Hand das Tor zu öffnen und wie ich es zu schließen habe. So ging es fort, bis die Sätze kamen, die ich nicht umsonst an den Anfang dieser Mitteilungen stellte. Jene Sätze, in denen sie es offen sagte, daß mein Beruf nicht gut sei. Sie sprach, ohne die Lippen zu bewegen. Ihre Augen hatten allen Glanz verloren. Ihre Reden aber waren beladen mit Mißbilligung und Vorwurf, so schwer, daß sie schließlich meine Ohren eindrückten und mich in dumpfe Taubheit versetzten. Ich begann zu grübeln und pfiff dazu traurige Melodien. Ich begann zu begreifen, daß Gerda von jener Krankheit befallen worden war, für die ich noch keinen Namen gehört hatte. Je länger ich sie beobachtete, desto genauer erkannte ich, daß ich sie nie mehr würde heilen können. Ohne daß ich es bemerkt hatte, war jene Lähmung durch die Wände gedrungen und hatte sie angesteckt mit der zähen Langsamkeit, die ihr Wesen war. Ich versuchte Gerda wieder beweglich zu machen, versuchte ihre Lippen zum Lachen zu bringen, aber die Krankheit hatte sich schon zu tief in sie eingefressen. Gerda ließ sich nichts mehr sagen von mir. Jedes meiner Worte empfand sie als Beleidigung, als ungehöriges Betragen. Und immer wieder mußte ich hören, so wie ich könne sich nur ein Fahrradmechaniker aufführen.
»Oh«, sagte ich da und wandte mich um und pfiff tonlos in mich hinein. Dann machte ich einen letzten Versuch: ich versuchte, mich auch von dieser Krankheit

anstecken zu lassen. Was ich auch immer an Seltsamem bemerkte – und das wurde täglich mehr –, ich ahmte es nach, bewegte mich so langsam, daß mir oft tagelang alle Glieder einschliefen und zum Verrücktwerden kribbelten. Ich brauchte für alle Wege dreimal so lang, wie ich gebraucht hätte, wenn ich normal gegangen wäre. Mit der Stoppuhr maß ich meine Wege und ging wieder zurück, machte den Weg nochmal, wenn ich sah, daß ich mich ungebührlich schnell bewegt hatte. Das Frühstück dehnte sich oft bis zum Mittagessen und ins Geschäft kam ich erst nachmittags. Daß ich meinen Arbeitsplatz in der Werkstatt verlor, ist selbstverständlich und kann meinem Meister nicht zum Vorwurf gemacht werden.

»Gut, daß das dein Vater nicht mehr erleben mußte«, sagte er. »Ich bin verheiratet«, sagte ich bedeutungsvoll ins Ungefähre und ging. Jetzt saß ich tagelang zu Hause und strich wie der Schatten einer Schnecke an unseren großen Wänden entlang. Ich wurde langsamer, aber nicht ruhiger. Alles, was ich unterdrückte, staute sich in mir von Tag zu Tag höher, drängender, erstickte mich fast. Gerda beobachtete mich und bewegte beifällig ihre linkes Ohr. Das war für ihre Begriffe eine schon fast zügellose Äußerung ihrer Gefühle. Deshalb stieg ihr ein blasses Rosa in die bleichen Wangen. Eine Andeutung von Scham.

So ging es, bis ich es eines Morgens nicht mehr ertrug. Es war ein warmer Tag im Frühjahr. Wir saßen starr auf dem Balkon, als wären wir die Schneemänner vom letzten Winter. Gerda schenkte Tee ein und goß sich etwas vom dampfenden Getränk über die Hand.

Auf der Haut schoß eine fahle Blase auf, Gerda aber schob lediglich ihre linke Augenbraue um einen schwachen Millimeter höher. Der Schmerz aber, der sie zweifellos plagte, zerrte ihre Augen zuckend nach oben, daß ich nur noch das Weiße sah. Kein schöner Anblick, aber ich mußte lachen. Zum erstenmal nach langer Zeit brach ich aus. Und als hätte dieses zuerst recht harmlose Lachen meinem ganzen Körper das Signal zum Aufruhr gegeben, schüttelte jetzt ein Krampf meine Nerven, die Muskeln hüpften, die Arme schlugen und aus dem Munde stürzte mir ein nicht endenwollendes Gelächter, das schrill und hart in immer neuen Sturzbächen in die totenstille Straße stach. Gerda erstarrte. Die Nachbarn ließen sich familienweise in ihre Wohnungen hineinsaugen, ich sprang auf, rief »Pfui Teufel«, hüpfte die Treppe hinunter, rannte hinaus und hielt erst ein, als ich Menschen sah, die verhärmten Gesichts, aber mit vielerlei Bewegungen ihren täglichen Geschäften nachgingen.
Um es kurz zu machen: ich arbeite wieder in meiner Werkstätte. Abends bin ich noch einigemal durch jene reglose Straße gegangen. Auf den Balkons saßen wie Säulen die alten Menschen. Ein Gesicht wie das andere. Gerda konnte ich nicht mehr erkennen.
In den nächsten Tagen will ich meine Tochter holen. Ich glaube, Gerda wird sie kaum vermissen. Das Kind ist viel zu unruhig und würde Gerda und der ganzen Straße nur Ärger bereiten. Vielleicht merkt sie es gar nicht, wenn ich heimlich in die Wohnung dringe und das Kind mitnehme. Ich hatte nämlich den Eindruck, als sei die allgemeine Erstarrung noch

ungeheuer fortgeschritten, seit ich nicht mehr in der Straße wohne. Sollte ich doch eine Störung gewesen sein für jene Art von Ruhe, so wird die endgültige Versteinerung jetzt nicht mehr länger auf sich warten lassen.

Und davor möchte ich meine Tochter bewahren.

Sollte aber auch sie in reiferem Lebensalter unmäßige Forderungen an mich stellen, so werde ich ihr zu beweisen versuchen, daß es keinen Grund gibt, auf dieser Welt nach etwas anderem zu streben, als ein Fahrradmechaniker zu sein. Alles andere ist, werde ich sagen, sündige und ungesunde Fassadenkletterei. Und wenn sie es halt gar nicht einsehen kann, daß es gut ist, einen Vater zu haben, der sich einiges Geschick in der Reparatur auch der zerstörtesten Fahrräder erworben hat, dann kann ich sie ja immer noch auf den Balkon zurücktragen und sie neben die Kruste ihrer Mutter setzen. »Pfui Teufel« werde ich dann nicht mehr sagen, aber ich werde den Balkon und das Haus und den Garten und die Straße ebenso schnell verlassen wie damals, als ich mich dieses Ausrufs nicht enthalten konnte.

Die Klagen über meine Methoden häufen sich

Der Mut, den man braucht, Sparkassenräuber zu werden, auf blankem Steinboden in die taghelle Schalterhalle einzudringen, dieser Mut fehlte mir, als ich von meinen Erziehern gedrängt wurde, einen Beruf zu wählen. Gerne wäre ich auch Förster geworden; aber selbst für diesen Beruf, so schien es mir, brauchte man den Mut eines Sparkassenräubers. Fast für alle Berufe, wenn man sie näher betrachtet, braucht man diesen Mut eines Mannes, der in die Schalterhalle eindringt, alle mit einer geladenen oder noch öfters mit einer ungeladenen Pistole im Bann hält, bis er hat, was er will, der dann noch lächelt und rückwärts gehend plötzlich verschwindet.

Schließlich entschied ich mich, Pförtner zu werden. Und ich wurde Pförtner in einer Spielzeugfabrik. Ich kann mir vorstellen, daß viele meiner Kollegen durch diesen Beruf hochmütig werden, daß sie auch nach Feierabend noch mit kaltem Gesicht herumlaufen und abweisende Handbewegungen um sich her streuen.

Ich bin nicht so geworden, obwohl ich mich nach Kräften bemühe, meinen Dienst tagsüber gewissermaßen unbarmherzig zu tun. Ich fühlte mich von Anfang an zu Hause in meiner gläsernen Loge. Die Knöpfe, mit denen ich die mir anvertrauten Türen öffnen kann, wurden mir ein einziges Mal zur Handhabung erklärt, und schon hatte ich alles verstanden;

das Verzeichnis der Telephonanschlüsse im Haus kannte ich auswendig, kaum, daß ich's einmal durchgelesen hatte. Den ersten Besuchern gegenüber war ich – das gebe ich zu – ein bißchen scheu: ich befürchtete Fragen, die ich nicht beantworten konnte, ich war noch nicht sicher, ob mir die Formulierung meiner Auskünfte in jedem Augenblick so gelingen würde, wie es der Besucher erwarten darf. Wie leicht kann doch ein Pförtner scheitern! Da kommen Herren der vornehmsten Art in die Fabrik, und der Pförtner weiß nicht, ob es seinen Vorgesetzten im Haus lieb ist, gerade diesen oder jenen Herrn zu empfangen. Und jeder im Haus glaubt, er sei der Vorgesetzte des Pförtners. Der Pförtner hat keine Kollegen, er hat nur Vorgesetzte. Und er muß es allen recht machen. Nun meint man, der Pförtner müsse ja nur zum Haustelephon greifen, hinaufrufen in die Büros und fragen, ob der Herr Soundso willkommen sei oder nicht. Aber die in den Büros sind so empfindlich, daß sie oft schon durch eine telephonische Anfrage in schreckliche Erregung versetzt werden können; dann schreien sie den Pförtner durchs Telephon nieder, daß der Mühe hat, seine Fassung zu bewahren und nicht in Tränen auszubrechen. Das darf er nicht, weil doch vor ihm, den Kopf dicht an der Scheibe und ganz auf den Pförtner konzentriert, der Besucher steht, dem er gleich Antwort geben muß. Diese Antwort wiederum darf nichts von dem Geschrei verraten, das der feinnervige und hochbezahlte Herr aus dem Büro gerade in die Ohren des Pförtners prasseln ließ, nein, des Pförtners Aufgabe ist es,

diesen Wutschrei des gestörten Herrn sofort zu übersetzen in ein bedauerliches Lächeln, in eine höfliche Geste, die den Besucher so sehr tröstet, daß er, wenn er gleich zur Tür hinausgeht, schon vergessen hat, daß er abgewiesen wurde. Solche Dolmetscherarbeit will gelernt sein, das darf man mir glauben. Oft muß ich darüber hinaus noch den Kopf mit dem Hörer weit weit zurückbiegen bis in das dämpfende Futter meines Mantels hinein, der hinter mir hängt, um die gereizte Stimme aus dem Büro vor den Ohren des Besuchers zu verbergen, denn es besteht eine Anordnung von der allerhöchsten Geschäftsleitung, vom Besitzer selbst nämlich, daß kein Besucher, wer es auch immer sei, schroff behandelt werden dürfe. Obwohl diese Anordnung der Direktion für alle gilt, ist es doch der Pförtner, der ihr in der Praxis Geltung zu verschaffen hat. Ich habe dies immer mit Freuden getan, weil ich gerade diese Anordnung mehr billige als irgendein anderes Gesetz des Betriebes.
Deshalb habe ich mir angewöhnt, so selten wie möglich zum Telephon zu greifen. Ich prüfe die Besucher selbst und entscheide, ob sie mit Recht verlangen, mit dem Einkaufschef, mit dem Prokuristen, dem Leiter der Entwurfsabteilung, mit der Kantinenpächterin, oder gar mit einem der Direktoren oder dem Personalchef sprechen zu dürfen.
Mag sein, daß ich am Anfang meiner Tätigkeit manchen zu rasch wegschickte. Aber allmählich habe ich mir eine Fähigkeit erworben, jeden so lange zu fragen, unauffällig, gar nicht wie ein Detektiv oder sonst ein Schnüffler, ganz beiläufig, im Gange einer für beide

Teile recht erquicklichen Unterhaltung, aber doch mit aller nützlichen Gründlichkeit, daß ich am Ende dieser Unterhaltung so genau informiert bin über die Wichtigkeit dieses Besuches für unsere Firma, daß ich die Entscheidung darüber, ob ich ihn abzuweisen habe oder nicht, mit einem vollkommen ruhigen Gewissen fällen kann. Wenn ich einen Besucher aber abweise – und die meisten muß ich abweisen –, dann weiß ich ihn während dieser Unterhaltung davon zu überzeugen, daß es für ihn ganz sinnlos wäre, mit dem Herrn unserer Firma, bei dem ich ihn anmelden sollte, zu sprechen. Ich habe mir in allen Fachgebieten, die bei uns vorkommen, so viele Kenntnisse erworben, daß ich einem Vertreter, der wegen Weißblechlieferung mit dem Einkaufsleiter sprechen will, genau Bescheid geben kann, ob seine Angebote Aussicht auf Erfolg haben oder nicht. Ebenso habe ich gelernt, protestierende Einzelhändler, die den Verkaufschef sprechen wollen, zu befriedigen, oder Landleute, die unsere Kantine beliefern wollen, oder bleichsüchtige Erfinder, die in Rudeln zu dreien und vieren den Leiter unserer Entwurfsabteilung überfallen wollen, um ihm ihre unverwertbaren Spielzeugerfindungen aufzuschwatzen, sogar entschlossen blickende Schriftsteller und Maler, die sich an unserem Reklamechef für die vielen Absagebriefe rächen wollen, vermag ich vom Schlimmsten zurückzuhalten, obwohl gerade die Erfinder und die Künstler – das muß ich den Landleuten und Vertretern zu Ehren sagen – am schwersten durch vernünftiges Reden zu überzeugen sind.
So vertrete ich also – ich kann es nicht anders sagen

– alle leitenden Herrn des Hauses an der Pforte, und die immer rascher steigenden Umsätze sind nicht zuletzt dem Umstand zu verdanken, daß ich die leitenden Persönlichkeiten unserer Firma – sie sind ja die verletzlichsten – vor lästigen Besuchern schütze. Leider wird dies von eben diesen Herrn überhaupt nicht bemerkt. Vor allem verstehen diese Persönlichkeiten nicht, daß ich Zeit brauche, um die einzelnen Besucher wirklich und ohne alle Schroffheit von der Nutzlosigkeit ihrer Besuche zu überzeugen. Die langwierigen Unterhaltungen, die ich durch mein Logenfenster mit den hartnäckigen Besuchern führen muß, haben zur Folge, daß schon eine halbe Stunde nach Geschäftsbeginn eine von Minute zu Minute länger werdende Schlange vor meinem Schalter steht. Sei es nun, daß da mal einer ungezogen genug war, die versammelte Menschenmenge als Tarnung zu benutzen, und unangemeldet ins Haus schlüpfte, sei es, daß einmal einer der leitenden Herrn rasch aus dem Haus wollte und durch die Schlange der Wartenden eine Sekunde Zeit verlor, auf jeden Fall häufen sich im Haus die Klagen über meine Methode, Besucher zu behandeln. Ich arbeitete zu langsam, zu schwerfällig, zu wenig sachlich ... das muß ich hören! So kurzsichtig sind all diese Vorwürfe und Klagen, so wenig Kenntnis meines Berufs beweisen sie, daß ich mich eigentlich gar nicht verteidigen kann. Ich möchte sehen, was geschehen würde, wenn ich die Besucher kurz und barsch abfertigen würde! Dann wäre die Vorhalle zwar immer leer, aber in der Direktion würden die Telephone vor Protestanrufen nicht mehr aufhören zu klingeln, der Ruf der Firma würde leiden, der Umsatz sinken. Die Anordnung der Direktion, keinen Besucher vor den Kopf zu stoßen, ist nicht umsonst erlassen. Ich kann natürlich nicht zum Direktor rennen und ihn bitten, denen, die gegen mich klagen, den Mund zu stopfen. Er würde mir einfach sagen, ich müsse das eine tun, dürfe aber das andere nicht lassen. Wie aber soll ich die Besucher höflich davon überzeugen, daß die Firma sie nicht empfangen kann, wenn ich sie rasch abfertigen soll? Davon, daß einer das große Los gewonnen hat, kann man ihn mit einem einzigen Satz überzeugen. Einem aber wirklich beizubringen, daß seine Erfindung oder sein Werbetext oder sein Blech oder Gemüse für die Firma nicht in Frage kommen – und ihm das so beizubringen, daß er mit einem Loblied auf die Firma das Haus verläßt –, das soll mir einer meiner Gegner einmal in zwei Minuten vormachen. Aber was soll ich tun?

Die Menschenschlange vor meiner Loge wird täglich länger; weil ich die Gefahr, in die sie mich bringt, jetzt kenne, macht sie mich unruhig, unsicher auch, meine Rede fließt nicht mehr wie ehedem, ich schwitze, stammle, brauche länger als früher, erreiche nie mehr das Maß an Tröstung, das ich sonst in jedem Fall erreicht hatte, schon kommt es vor, daß manche mir einen Fluch zuwerfen, die Türe zuschlagen und wütend hinausstürzen, was soll ich tun? Ich kann nichts mehr ändern. Ich muß es endlich eingestehen, warum ich die Entwicklung, die ich in meinem Beruf genommen habe, so ausführlich aufzeichne: zur Rechtfertigung nämlich, um irgendwo außerhalb meines Betriebes wenigstens Verständnis zu erlangen, denn für morgen bin ich zum Personalchef geladen. Erst dachte ich, es handle sich bloß um eine Mahnung, um eine Art Vorwarnung. Das glaube ich nicht mehr. In der Schlange, die gestern vor meinem Schalter stand, war einer, ein grober Mann mit einem lippenlosen Mund, der forderte mich auf, ihn beim Personalchef zu melden, er sei bestellt. Ich fragte, als mein Finger schon über der Wählscheibe schwebte, in welcher Angelegenheit er den Personalchef denn sprechen wolle: er bewerbe sich um die ausgeschriebene Pförtnerstelle, sagte er.

Ich wählte die Nummer der Personalabteilung gleich auf das erste Mal richtig und meldete ihn an, mein Zeigefinger allerdings, mit dem ich die Wählscheibe gedreht hatte, war danach wie erfroren.

Der Mann ging ins Haus, nach einer halben Stunde kehrte er fröhlich zurück. Er pfiff sogar vor sich hin. Ich sah ihm voller Bewunderung nach. Seinen Mut müßte man haben, dachte ich. Oder überhaupt Mut. Da hatte ich mich die ganze Zeit ein bißchen geschämt, weil ich bloß Pförtner geworden war. Jetzt sah ich ein, daß man sogar dazu den Mut eines Sparkassenräubers braucht. Jenen Mut, den ich bei mir immer noch vergeblich suche.

Die Rückkehr eines Sammlers

Alexander Bonus, der wegen eines Herzleidens schon früh pensioniert worden war, hatte als Junggeselle bis in die schlimmsten Kriegsjahre hinein in unserer Stadt gelebt und war dann fast gewaltsam aufs Land gebracht worden, in ein Weinbauerndorf, wo er seitdem eine winzige Dachkammer bewohnt hatte. Mit einer von ihm selber hergestellten violett schimmernden Tinte hatte er einige Jahre nach dem Krieg vielseitige Briefe an das städtische Wohnungsamt geschrieben und gebeten, man möge ihm jetzt endlich die Rückkehr in seine Vaterstadt ermöglichen. Die Herren des Wohnungsausschusses hatten ihn wieder und wieder mit vorgedruckten Schreiben auf eine baldige Besserung der Verhältnisse vertröstet. Alexander Bonus hatte jedesmal mit einem liebenswürdigen Brief geantwortet, hatte aber bei Wahrung aller möglichen Höflichkeit doch immer dringender gebeten, seine ihm eigene Sechs-Zimmer-Wohnung für ihn und vor allem für seine an verschiedenen Orten lagernde Sammlung freizumachen. Er habe die Jahre nach dem Krieg durchwartet, weil er gewußt habe, daß seine sechs Zimmer in der Stadt gebraucht würden, der ersten Not Herr zu werden; auch jetzt würde er es noch nicht wagen, im Ernst um die Einweisung in seine Räume zu bitten, wenn er nicht gerade von einer Reise zurückkäme, die ihn an die Orte geführt habe, an denen seine Federsammlung in länd-

lichen Kellern und Scheunen lagere. Aber wie! So eben, wie man in den Kriegsjahren mit einer für jene Zeiten ganz unwichtigen Sammlung von Vogelfedern verfahren sei. Das Holz seiner Vitrinen sei von Feuchtigkeit zermürbt oder von Hitze zerrissen worden, die Glaswände vom Schimmel befallen und blind, vom Zustand seiner kostbaren Federn aber habe er sich erst gar nicht überzeugen wollen, der sei schon dem flüchtigen Eindruck nach nur als katastrophal zu bezeichnen.
Alexander Bonus hatte sich auch an jene Stadträte gewandt, die seine Sammlung aus der Zeit vor dem Kriege kannten, er hatte sogar angedeutet, daß er, der allein stehe und den größten Teil seines Lebens hinter sich habe, seine Sammlung schließlich einmal der Städtischen Oberschule vermachen wolle, wozu er natürlich nur imstande sei, wenn man ihm helfe, die Sammlung vor dem endgültigen Zerfall zu retten.
Die älteren Stadträte mußten diese Briefe des Herrn Bonus gegen das Lächeln jener Kollegen verteidigen, die erst durch die Kriegsläufte und gewissermaßen zufällig in unsere Stadt geschwemmt worden waren. Diesen älteren Stadträten war es denn auch zu danken, daß die zwei Familien, die in Herrn Bonus' Wohnung untergebracht waren, zwei Zimmer räumen mußten und Bonus einen Brief von unserem Bürgermeister erhielt, in dem ihm mitgeteilt wurde, er könne wenigstens zwei Zimmer seiner früheren Wohnung wieder beziehen, was ihm, dem Junggesellen doch die Möglichkeit gebe, einen Teil seiner Sammlung wieder aufzustellen und zu pflegen. Und

er dürfe hoffen, in nicht allzu ferner Zeit ein drittes, ein viertes und fünftes und schließlich auch einmal das sechste Zimmer wieder ganz für sich und seine Sammlung zu besitzen.
Vier Tage später hielt ein ländliches Fuhrwerk vor dem Haus, in dem Bonus seine Wohnung hatte, und er selbst kletterte hastig vom Schutzblech des Traktors, auf dem er während der Fahrt vom Land herein gesessen war; er ging auf die Haustür zu, den Schlüssel schon in der Hand, führte ihn zitternd aufs Schloß zu, aber die der Handbewegung vorauseilenden Augen bemerkten schon, daß es nicht mehr das alte Schloß war. Der Schlüssel entfiel ihm. Er klirrte nicht, weil von Bauarbeiten noch Sand auf dem Pflaster lag.
Dann läutete Bonus.
Ja, die zwei Zimmer waren schon geräumt. Die beiden Familien aber, die sich in die restlichen vier Zimmer teilten, beobachteten mißtrauisch jedes Stück, das er herauftragen ließ. Zuerst kam ein Tisch, dann ein Stuhl, ein Schrank, ein Bett und dann viele Vitrinen, deren Glaswände schmutzig waren, so blind von Schimmel, Staub und Spinngewebe, daß man nicht sehen konnte, was sie enthielten. Die Kinder der beiden beobachtenden Familien versuchten mit den Fingern, die sie mit der Zunge befeuchteten, an den Gläsern herumzureiben, um wenigstens mit einem Auge reinsehen zu können. Ihre Eltern aber riefen sie zurück und erlaubten ihnen nur von der Flurtür aus, wie sie's selbst taten, zuzuschauen. Sie wußten noch nicht, was sie von diesem alten Mann mit dem

fleischigen Jünglingsgesicht und den milchweißen Haaren halten sollten. Herr Bonus aber hatte sich sofort mit allen bekanntgemacht, hatte sich zu jedem Kind extra hinabgebeugt – und die zwei Familien hatten es immerhin zu sieben Kindern gebracht –, und jetzt versprach er den Kindern sogar, er werde ihnen seine ganze Sammlung zeigen, wenn er sie nur erst wieder ein bißchen hergerichtet habe. Es sei ja leider nur ein kleiner Teil, fügte er hinzu; dann sah er auf seine kleinen weißen Händchen hinab und sagte mit dem mildesten Lächeln: Er lebe nur noch auf den Tag hin – und dieser Tag werde kommen –, an dem er wieder Platz genug haben werde, um seine ganze Sammlung hier aufzustellen.
Als Alexander Bonus dies sagte, sahen ihn die Eltern der sieben Kinder finster an. Es war, als fürchteten sie sich plötzlich vor diesem zarten weißhäutigen Mann. Sie drehten sich um, zogen ihre Kinder an Händen und Haaren von Bonus und seinen Glaskästen weg und verschwanden hinter ihren Türen. Bonus sah ihnen nach, und als er hörte, wie dort ein hastiges Getuschel anhob, das sich oft bis zum lauten Stimmenstreit steigerte, und als er hörte, daß es sein Name war, der diesen Streit speiste, da lehnte er sich gegen eine mannshohe Vitrine, rieb den Kopf liebkosend an der Holzkante, lächelte und überlegte, ob er die Kormoranfedern nicht doch mit den Federn des Tropikvogels zusammen in eine Vitrine legen sollte, wenigstens solange er nur zwei Zimmer hatte. Lieber sollten sich die Federn gegenseitig ein bißchen verdecken, als daß er auch nur eine einzige Vitrine

länger als unbedingt nötig in jenen feuchten Dorfkellern wissen wollte. Wahrscheinlich würden sich solche Zusammenlegungen fürs erste gar nicht vermeiden lassen, da sicher einige Vitrinen bis zur Unbrauchbarkeit beschädigt waren. Und die Kormoranfedern und die des Tropikvogels stellten in seiner Sammlung sowieso eine Ausnahme dar, waren sie doch die einzigen Federn, durch die die Schwimmvögel bei ihm vertreten waren, alle anderen Stücke seiner Sammlung stammten von den Familien der Eulen und Falken, also von Raubvögeln, und da insbesondere von Adlerarten. Um während der Jahre, die er, wie er es selbst nannte, in der Verbannung leben mußte, nicht ganz untätig zu sein, hatte er begonnen, seiner Sammlung eine Abteilung »Hühner und Hühnervögel« anzugliedern. Da er aber im Grunde seines Herzens nur an Adlerfedern mit Leidenschaft interessiert war, hatte er diese neue Abteilung nur in der Hoffnung aufgebaut, sie später einmal als Tauschobjekt benützen und Adlerfedern dafür einhandeln zu können. Nicht einmal die stolzen weißen Federsträuße des Tropikvogels und die schlanken schwarzen Kormoranfedern hatten Aussicht, für immer in seiner Sammlung bleiben zu dürfen. Für eine einzige Harpyienfeder hätte er sie sofort hergegeben. Die Harpyien waren Bonus' liebste Vögel. Und wenn das Angebot an Harpyienfedern oder gar an Harpyienflaumen groß genug gewesen wäre, wer weiß, vielleicht hätte er seine ganze Sammlung allmählich für die Federn dieser besonderen Adlerart hergegeben. Um der Vielfalt seiner Sammlung willen konnte

Bonus dafür dankbar sein, daß die Harpyien in den wasserreichen Urwäldern Süd- und Mittelamerikas nur sehr schwer zu erlegen waren.
In den ersten Tagen nach seiner Rückkehr war Herr Bonus für niemanden zu sprechen, niemand sah ihn. Die sieben Kinder, die die zeitweilige Abwesenheit ihrer Eltern gerne zu einem Besuch bei Bonus benutzt hätten, klopften umsonst an seine Tür. Bonus kämpfte gegen Schimmel, Staub und Spinngewebe.
Er entriß seine Vitrinen, die Glaswände, die Holzkanten und die Messingbeschläge der Fäulnis, dem schon dicht bevorstehenden endgültigen Zerfall. Dann machte er sich an die Federn. Starr, glanzlos und von einem alle Farbe tötenden Überzug befallen, lagen sie tot auf ihren Polstern; und Bonus dachte daran, wie sie ehedem in vielen Farben schimmernd vor ihm gelegen hatten, diese zarten, seidigen, biegsamen Wundergebilde. Bonus nahm jede Feder einzeln in die Hand und zupfte und blies Stäubchen für Stäubchen ab; eine ungeheure Arbeit. Aber er wollte auch nicht das kleinste Flaumhärchen verlieren. Dann mischte er sich jenes Fett zusammen, das ihn schon vor Jahrzehnten in den Kreisen, die sich mit Vogelpräparationen beschäftigten, berühmt gemacht hatte, jenes Fett, das er so zu mischen verstand, daß es fast dem Sekret gleichkam, das die Bürzeldrüse der Vögel zur Einfettung des Gefieders ausscheidet; mit diesem Fett bestrich er alle Federn seiner Sammlung, dann erst öffnete er die Tür und ließ die Kinder ein.
Aber Herr Bonus hatte keine Ruhe, die Kinder von Kasten zu Kasten zu führen und ihnen zu erklären,

was er früher mit Leidenschaft getan hatte, wo alle diese Federn herstammten und wie die Vögel, die sie einst getragen hatten, beschaffen seien und lebten. Zu sehr war er beunruhigt worden durch den Zustand, in dem er seine Sammlung vorgefunden hatte. Vielleicht war er schon zu spät gekommen, vielleicht würden die Federn in Kürze zu Staub zerfallen, wer konnte das wissen! So sehr er sich freute, wieder mit seinen Federn umgehen zu können, die mächtigen schwarzbraunen Schwingenfedern des Kaiseradlers über seine weiche Gesichtshaut gleiten zu lassen, diese Federn, die einst den mächtigsten Vogel über die baumlosen Steppen der Mongolei getragen hatten, er konnte sich nicht darüber hinwegtäuschen, daß die Sammlung nur noch ein Schatten ihrer selbst war. Die Farben waren ermattet und die Federhärchen waren trotz aller Bemühung spröd geblieben. Und der größere Teil seiner Sammlung, das beunruhigte ihn am meisten, zerfiel von Stunde zu Stunde noch mehr in jenen ländlichen Kellern und Scheunen. Die beiden Zimmer, die man ihm zugewiesen hatte, konnten ja nicht einmal den Teil der Sammlung aufnehmen, den er mitgebracht hatte.

Er hatte das Bett noch nicht aufgeschlagen, der Stuhl stand auf dem Tisch und die Vitrinen waren zu Türmen übereinandergeschichtet, die bis zur Decke reichten; eine Anordnung, die bei dem Zustand, in dem sich das Holz befand, zu einer Katastrophe führen mußte, eine Anordnung auch, die es jedermann und ihm selbst unmöglich machte, in den Genuß der Sammlung zu kommen.

Er fragte die Kinder, die mit platten Nasen an den Scheiben klebten, ob in den Zimmern ihrer Eltern nicht noch ein bißchen Platz wäre, er würde gern seine schönsten Stücke zur Verfügung stellen; das sei doch ein Schmuck, so eine Vitrine mit Steinadlerfedern, oder vielleicht die mit den Federn des Schlangenbussards, bitte, sie könnten sich's raussuchen. Die Kinder schrien auf vor Freude und schleppten sofort drei, vier, fünf Vitrinen in ihre Zimmer. Abends kamen die Eltern, klopften schüchtern, traten ein, grüßten und entschuldigten sich bei Herrn Bonus für neulich, sie hätten eben Angst um ihre Zimmer gehabt, sie hätten ihn auch – das müßten sie gestehen – für einen mürrischen Sonderling gehalten, für einen launischen Greis, sie seien halt einfache Leute, aber die Glaskästen, sie verstünden zwar nichts davon, seien doch sicher sehr wertvoll und es ehre sie, daß Bonus ihnen so teure Stücke anvertraue. Ob er nicht rüberkommen wolle, zu sehen, wie sie die Vitrinen aufgestellt hätten. Das sei die einzige Bedingung, gab Bonus lächelnd zur Antwort, die er mit diesen Leihgaben verknüpfe, daß er dann und wann hinüberkommen dürfe, um sich an den Federn zu freuen. Das wurde ihm von allen freudig versprochen. Dann ließ sich Bonus hinüberführen. Zwischen Betten und Kommoden glänzten ihm die Glaswände entgegen. Es sei zwar ein bißchen eng, sagten die beiden Hausfrauen, aber einem so kostbaren Zimmerschmuck zuliebe schränke man sich gerne ein. Die beiden Männer bewegten ihre Köpfe so lange heftig nickend auf und ab, bis sie sahen, daß Bonus ihre Zustimmung bemerkt hatte. Wahrscheinlich hatten sie an ihren Arbeitsstellen und die beiden Hausfrauen bei ihren Nachbarinnen schon voller Stolz erzählt, daß sie jetzt über einen Wohnungsschmuck verfügten, wie ihn wohl keiner im Bekanntenkreis je gesehen habe. Bonus lächelte. Er winkte seinen Vitrinen zu, als wären es Lebewesen, dann ging er in seine Zimmer zurück und schrieb einen Brief. Ein paar Tage später ratterte ein Traktor vors Haus. Der Wagen, den er zog, war über und über mit Vitrinen beladen, die verstaubt und vom Schimmel befallen waren wie die ersten. Diesmal halfen die Kinder der beiden Familien bei der Säuberung. Die Feinarbeit an den Federn aber besorgte Bonus selbst. Er mußte allerdings, um die neuen Stücke auch nur notdürftig in seinen Zimmern unterzubringen, seinen Tisch, den Stuhl, das Bett und den Schrank auf den Flur stellen, so daß er gezwungen war, seine Mahlzeiten fürderhin auf dem düsteren Flur einzunehmen und nachts auch hier zu schlafen. Die Eltern der Kinder schüttelten den Kopf, als sie ihn vor ihren Türen, denn es war ja auch ihr Flur, im Bett liegen sahen. Sie sagten nichts, nur die Kinder kicherten und öffneten immer wieder die Tür, um zu sehen, ob er schon schlafe. Bonus lächelte. Und am nächsten Tag, als die Väter bei der Arbeit und die Mütter beim Einkaufen waren, fragte er die Kinder, ob sie nicht noch ein paar Vitrinen wollten, er habe genug. Die Kinder waren sofort einverstanden und schleppten gleich sieben Vitrinen in ihre Zimmer. Diesmal kamen die Eltern nicht, um sich bei Bonus zu bedanken; im Gegenteil, abends hörte er, wie die

Väter die Mütter schimpften, mit unterdrückter Stimme bloß, um nicht von Bonus gehört zu werden, und die Mütter weinten und schlugen die Kinder, daß auch die zu weinen begannen. Aber als die Eltern am nächsten Tag außer Haus waren, kamen die Kinder wieder, um sich Vitrinen zu holen, Bonus lächelte mild und gab sie ihnen. Abends stand er dann wieder an der handbreit geöffneten Tür und hörte dem Streit zu, der bei beiden Familien aufbrach, noch heftiger als am Abend zuvor. Die Kinder ließen sich schelten und schlagen und kamen am nächsten Tag wieder zu Bonus und bettelten ihm ab, was er ihnen so gerne gab. Die Mütter, die sich in ihren Zimmern jetzt wirklich nicht mehr bewegen konnten, wollten ihre Kinder zwingen, alle Vitrinen zu Bonus zurückzutragen. Da verweigerten ihnen die den Gehorsam. Sie krallten sich mit ihren kleinen Händchen an den Holzleisten fest, blieben allen Vorwürfen und Aufforderungen gegenüber taub und waren nicht einmal durch Schläge zu irgendeiner Bewegung zu bringen. Sobald sich aber die Mütter abwandten, legten sie sich mit ihren ganzen Körpern über die Vitrinen und sahen auf die unbegreiflichen Federn hinab und ließen sich von denen, die schon lesen konnten, immer wieder die auf weiße Schildchen geschriebenen Namen vorlesen und sprachen sie andächtig und im Chor nach. Da summte es dann durch die Wände dem lächelnd lauschenden Bonus ins Ohr: Phaeton aethereus, Aquila audax, Harpyia destructor ... Als die Väter abends heimkehrten und ihre Kinder in all der Enge lateinisch vor sich hinsummend antrafen, wurden sie von großer Ratlosigkeit befallen. Endlich, als die Kinder schon in den Betten lagen, schlichen sie zu Bonus hinüber. Sie baten ihn, er möge die Vitrinen zurücknehmen, sie verstünden zu wenig davon, auch die Kinder verstünden nichts davon, sie würden nur verwirrt und in ihrer normalen Entwicklung vielleicht schädlich beeinflußt, da sie ja in wenigen Tagen alle anderen Interessen verloren hätten und wie süchtig und unverständliche Namen murmelnd über den Vitrinen hingen; das sei doch ein Zeichen für die Gefahren, die in diesen Kästen für so einfache Menschen, wie sie es nun einmal seien, schlummerten. Und dann die Platzfrage! Man könne jetzt wirklich nicht mehr atmen. Seit auch der letzte freie Quadratmeter den Vitrinen zum Opfer gefallen sei, vermöge man nicht mehr, zu den Fenstern durchzudringen, geschweige denn, daß man sie noch öffnen könne.

Bonus strich sich mit seiner kleinen Hand über sein weiches weißes Gesicht und lächelte. Warum die Eltern die Federn nicht so anschauen könnten, wie er und wie die Kinder es täten, fragte er dann. Die beiden Männer verstanden ihn nicht und sagten, sie würden, wenn er es erlaube, jetzt gleich beginnen, die Vitrinen auf den Flur herauszustellen, dann könne man weitersehen. Bonus zuckte mit den Schultern. Die beiden Männer drehten sich um, gingen in ihre Zimmer und griffen nach den Vitrinen. Da zeigte es sich aber, daß die Kinder wach in ihren Betten gelegen waren, daß sie gewissermaßen nur darauf gewartet hatten, daß jemand ihre Heiligtümer berühre. Schon hingen sie grell schreiend und mit kralligen

Fingern an den Vitrinen, und ihre Entschlossenheit, die Glaskästen zu verteidigen, war so fürchterlich in ihre kleinen Gesichter eingegraben, daß die Mütter ihren Gatten sofort in die Arme fielen und sie baten, die Kleinen doch nicht bis zum Irrsinn zu reizen. Die Männer ließen ab. Sie hatten keine gute Nacht. Und sie hatten auch keinen guten Tag mehr.
Inzwischen war nämlich in der Stadt bekannt geworden, daß Bonus zurückgekehrt war, und es begannen sich die verschiedensten Leute für den zarten Greis mit dem erschlafften Jünglingsgesicht zu interessieren. Die beiden ansässigen Zeitungen, sonst immer gegensätzlicher Meinung, im Fall Alexander Bonus waren sie sich einig. Die Schlagzeilen ihrer Lokalseiten lauteten: »Keinen Platz für Kultur?« und »Zerfall der Werte!« Und in den Artikeln, die zu diesen Schlagzeilen gehörten, wurde das Schicksal Alexander Bonus' geschildert: seine jahrelange Sammelarbeit vor dem Krieg, die von ihm selbst aus den nicht gerade fürstlichen Pensionsbezügen finanziert worden war, seine Absicht, diese Sammlung dereinst der Städtischen Oberschule zu vererben, seine Evakuierung, die rohe Auslagerung seiner Sammlung, das Verderben, das ihr von Feuchtigkeit und Hitze drohte, Bonus' Initiative, seine Rückkehr, seine aufopferungsvolle Arbeit, die Sammlung zu retten, sein liebenswürdiger und selbstloser Versuch, die Sammlung vorerst in Leihgaben aufzuteilen und dadurch unterzubringen, das schnöde Unverständnis der Mitbürger, ihre brutale Handlungsweise gegen Bonus und ihre eigenen Kinder, die natürlich wieder einmal

mehr Verständnis für die echten Werte bewiesen hatten als die Erwachsenen! Wenn ihr nicht werdet wie die Kinder ... so etwa endeten die Artikel, in denen schließlich noch die Stadt aufgefordert wurde, diesem unwürdigen Zustand ein Ende zu bereiten, Bonus sofort mit großzügigen Subventionen zu unterstützen und ihm wenigstens seine sechs Zimmer zur Verfügung zu stellen.
Als Bonus von diesen Umtrieben Kenntnis erhielt, – denn er war es nicht, der das alles veranlaßt hatte, das war wahrscheinlich gar kein Individuum, sondern so etwas wie das Kulturgewissen der ganzen Bürgerschaft, oder zumindest des Teiles der Bürgerschaft, der von sich behaupten durfte, dieses Kulturgewissen zu besitzen – da gab Bonus sofort zwei Telegramme auf. Er wußte, jetzt war die Zeit gekommen, die ganze Sammlung zurückzuholen. Wenn sie auch ihren Wert durch die mangelhafte Lagerung weitgehend eingebüßt hatte, er wollte jetzt nicht daran denken, er mußte zuerst einmal wieder alle alle Stücke, die vollständige Sammlung um sich haben.
Als Bonus die Telegramme aufgegeben hatte und in seine Wohnung zurückkehrte, begegnete er den beiden Frauen. Sie schlugen die Augen nieder und entwichen in ihre Zimmer. Sie schämen sich, dachte Bonus und lächelte. Sicher haben sie gelesen, was in den Zeitungen steht.
Abends begannen sie in aller Heimlichkeit, alle Vitrinen, die sie in der vergangenen Nacht auf den Flur geräumt hatten, wieder zurück in ihre Zimmer zu

bringen. Ihren Kindern erlaubten sie, bei Bonus weitere Vitrinen zu holen. Und als dann die Fuhrwerke vor dem Haus hielten, die alle restlichen Stücke der Bonusschen Sammlung brachten – und das waren etwa doppelt so viel wie schon da waren – da scheuten die Eltern der sieben Kinder weder Staub noch Fäulnis, sie griffen selbst zu und ihre Kinder mit ihnen, und sie trugen so viele Vitrinen in ihre eigenen Zimmer, daß Bonus freundlich abwehren mußte. Nun zeigte es sich aber bald, daß sich die beiden Familien einfach zuviel zugemutet hatten. Tagelang kletterten sie mühsam und ohne zu klagen zwischen den zu hohen gefährlichen Türmen gestapelten Vitrinen herum, bis sogar die Kinder dem völligen Zusammenbruch nahe waren, dann beschlossen sie, um Herrn Bonus und das Gewissen der Öffentlichkeit nicht weiter zu beunruhigen, heimlich in der Nacht auszuziehen und sich irgendwo am Stadtrand in einer Notbaracke oder – wenn es nicht anders ging – sogar im Freien niederzulassen. Die Kinder wehrten sich nicht im mindesten, als sie tief in der Nacht geweckt wurden und der Auszug begann.
Alexander Bonus aber stand hinter seiner Tür und hörte draußen das behutsame Schlürfen vieler unbekleideter Füße.
Schließlich ging er zum Fenster, um dem kleinen Trupp der Eltern und Kinder nachzusehen, der, ein paar hochbeladene Handwagen mit sich schleppend, in der Dunkelheit verschwand.
Herr Bonus drehte sich um und lehnte sein schlaffes Jünglingsgesicht an eine mannshohe Vitrine, in der

die Federn eines Seeadlers aufbewahrt waren, dann rieb er seine jetzt ganz farblosen, fleischigen Wangen wie zur Liebkosung an der Holzkante und öffnete die Vitrine, um eine mächtige schwarze Schwingenfeder herauszuholen, aber weil sie spröde war, zerbrach sie in seinen kleinen weißen Händen. Trotzdem begann Herr Bonus noch in dieser Nacht, seine vielen Vitrinen gleichmäßig auf die sechs Zimmer zu verteilen.

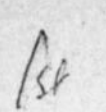

Was wären wir ohne Belmonte

Eine Zeitlang war ich versucht, auf Herrn Belmonte zu schimpfen. Aber das war eine Zeit, da wußte ich noch wenig von ihm. Er ist dick und glatzköpfig. Sowas sieht man schnell. Und seine fetten Hände sieht man, die langsam wie Mastgänse über den Schreibtisch hinwackeln, wenn man mit Herrn Belmonte spricht. Aber man spricht ja gar nicht mit ihm. Ihn bittet man nur. Auch ich habe allwöchentlich die Tür zu seinem Büro belagert, habe nicht nachgelassen, bis seine Sekretärin erschöpft vor mir zu Boden sank, daß ich sacht den Fuß heben konnte, über sie hinwegzusteigen, ohne ihr noch einmal weh tun zu müssen.
Belmonte empfing mich immer in der gleichen Haltung: sein Kopf hing so schwer auf sein zweites Kinn, daß dieses, durch eine schwarze Quetschfalte vom Gesicht getrennt, im Halbrund von Ohr zu Ohr reichte. Hart stach die schwarze Falte aus dem weichen weißen Gesicht, das sich bemühte, jedem Besucher gütig entgegenzusehen. Er breitete seine Hände aus, schwer und mühsam, als hätte er in den fahlen, von kleinen Fetthügelchen gesäumten Handflächen große Gewichte zu tragen. Und es war, als drückten diese für den Besucher unsichtbaren Gewichte ihm die hilfsbereiten Hände wieder herab; ein dumpfes Klatschgeräusch zeigte dann auch gleich an, daß die Hände wieder in den weißen Papierwüsten des Schreibtischs gelandet waren.

Damit waren meine Besuche bei Herrn Belmonte immer schon zu Ende. Worte waren nicht nötig. Herr Belmonte wußte, warum ich kam. Gleich als ich vom Konservatorium gekommen war, hatte ich ihm geschrieben, ihm und vielen anderen Agenturen, hatte ihnen Zeugnisabschriften geschickt, die bewiesen, daß ich ein Pianist bin, dessen Name dereinst die Stadtverwaltungen zwingen wird, die Konzertsäle zu vergrößern. Alle anderen Agenturen waren taub geblieben für die Erfolge, die sie mit mir in Zukunft hätten feiern können. Nur die Agentur Belmonte hatte geantwortet. Herr Belmonte selbst hatte mich aufgefordert, ihn zu besuchen. Und ich hatte ihn besucht. Belmonte war aufgestanden, als ich eintrat, war mir entgegengekommen, hatte mir die Hand gereicht, und ich hatte Platz genommen vor ihm, wie einer, der viel zu verschenken hat. Damals war Belmontes Gesicht nicht so schwer vornüber gehangen, war auch nicht so blaß gewesen, wie es dann wurde im Lauf der Jahre. Immer weniger Worte hatten wir gewechselt. Wir warteten beide nur noch auf den Kassenerfolg, der es Herrn Belmonte ermöglichen würde, mich groß herauszubringen. Anfangs schwärmten wir davon, wie wir den Reklamefeldzug inszenieren würden. Ganz neue Wege wollte Belmonte schon in der Vorbereitung meines ersten Konzerts ersinnen, um das Publikum darauf vorzubereiten, daß ihm etwas bevorstehe, was die üblichen Konzerterfahrungen vollends einschlafen lasse. Als wir oft genug von dieser Reklameschlacht gesprochen hatten, wurde es uns beiden peinlich, dieses Thema zu berühren. Wir wollten vor einander nicht als kindische Schwärmer erscheinen. Wichtig war der große Kassenerfolg, den Belmonte mit einem seiner prominenten Künstler früher oder später ja zweifellos haben würde. Ich übte unterdes in meiner Dachstube. Tage und Nächte. Nährte mich karg von Kopierarbeit. Aber was schadete das bei meinen Aussichten, bei dem Wohlwollen, das ein Mann wie Belmonte mir entgegenströmte, so oft ich ihn besuchte! Wurden sie auch immer kürzer, diese Besuche, wurde es schwerer und schwerer, die unverständige Sekretärin auf den Teppich zu zwingen, es gelang mir doch jede Woche, Belmonte zu sehen.

Daß wir nichts mehr zu sprechen hatten, daß er die Hände wie zur Entschuldigung ausbreiten mußte, sie in wirklicher Ohnmacht wieder auf den Schreibtisch zurückklatschen ließ, das war zwischen uns zum Zeichen geworden, daß jener notwendige Kassenerfolg immer noch auf sich warten ließ. Ich hatte mir angewöhnt, seine Gesten dadurch zu beantworten, daß ich mich verneigte. Das hieß, daß es schon gut sei, daß ich nur wieder einmal habe fragen wollen, wie es stehe. Aus dieser Verbeugung drehte ich mich um, ohne den Kopf noch einmal zu heben; ich wollte es ihm und mir nicht dadurch schwerer machen, daß ich ihm in die Augen schaute.

Im Vorzimmer pflegte sich gerade erst die Sekretärin vom Boden aufzuraffen, wenn ich zurückkehrte, so kurz waren meine Besuche bei Herrn Belmonte. Längere Besuche hätte ich um des von zahllosen Papieren geplagten Belmonte willen nicht ertragen.

Aber dann kam ein Tag, da breitete Belmonte nicht die Hände aus, um sie traurig niederfallen zu lassen. An diesem Tag lächelte er und bat mich, Platz zu nehmen. Ob ich bereit sei, sagte er, er sehe eine Möglichkeit. Es werde alles ein bißchen anders verlaufen, als wir es uns ehedem vorstellten. Aber das sei meistens so auf der Welt. Immerhin, es sei eine Möglichkeit für mich. Und er nannte mir gleich einen Termin. Ich rannte hinaus. Rannte in mein Zimmer und spielte jämmerlich schlecht meine Programme durch.

Am Tag meines Konzertes ging ich um vier Uhr nachmittags in den Saal, in dem es stattfinden sollte. Man hatte schon geheizt. Lorbeer stand in den Ecken. Die Stuhlreihen glänzten. Es roch feierlich. Ich ging auf und ab. Setzte mich. Tastete auf dem Flügel herum. Meine Hände waren heiß und feucht. Rutschten ab. In den Ohren rauschte das Blut.

Um fünf Uhr kam ein Herr. Mein Alter. Sah mich mißtrauisch an. Ging auf und ab. Setzte sich. Sah auf die Uhr. Sah mich noch einmal an. Dann kam ein zweiter, ein dritter. Und zwei Stunden vor Beginn meines ersten Konzertes war der Saal zur Hälfte gefüllt. Ich spürte, wie mir im Gesicht brandrote Male wuchsen. Mit einem Taschentuch rieb ich die Haut, um die Aufregung ein bißchen zu verteilen. Dabei dachte ich an Herrn Belmonte. Welch eine ungeheure Propaganda mußte er für mich gemacht haben, daß die Leute so früh kamen. Und ich hatte in der Stadt nicht ein einziges Plakat gesehen. Belmonte mußte etwas ganz Neues erfunden haben. Wem war es je gelungen, einen Konzertsaal zwei Stunden vor Beginn des Konzerts so voll zu haben! Und wie erregt waren all diese Gäste! Wie schrecklich erregt! Die wenigsten hielten es auf einem Stuhl aus! In den Gängen standen sie, stapften auf und ab, die Füße hebend, als liege auf dem Saalboden ein Meter hoch Schnee. Und ihre Lippen flatterten, stießen Worte aus, dann kleine Lachversuche, Lügen gestraft von den weit aufgerissenen Augen, die regellos hin- und hersprangen unter der schmerzlich zuckenden Stirn.

Es war, als machten sie von meinem Konzert noch mehr abhängig als ich selbst. Wahrscheinlich hatte Belmonte zuviel versprochen. Erwartungen, wie sie hier aus fanatisch blassen Gesichtern aufbrannten, kann kein Pianist mehr befriedigen. Mein Puls sprengte mir schier die Haut, als ich daran dachte. Und Schauer überfuhren mich, pflügten mir die Haut mit einer Pflugschar aus Eis.

Und diese Herren, Einzelgänger alle, sahen aus, als ob sie was von Musik verstünden. Fein gebildete Köpfe wogten da durcheinander, nach hinten weit ausladend und von seidigen Haaren wie das Kostbarste beschützt. Und schmale Hände sah ich, weißen Vögeln gleich, an meinen Augen entlangflattern.

Ach, Herr Belmonte, dachte ich, Sie haben sicher zuviel getan. Die jahrelange Wartezeit hat auch Sie mürbe gemacht, hat Ihnen das rechte Maß verdorben, und Sie haben jetzt wahrscheinlich einen Meister angepriesen, wie man ihn in irdischen Konzertsälen noch nicht gehört hat. Vielleicht haben Sie aus mir

einen Gast gemacht, der nur ein einziges Mal auf dieser Erde spielt. Wie sonst wäre die knisternde Spannung zu erklären, die den Saal in jedem Augenblick in ein Flammenmeer verwandeln kann!
So richtete ich meine ängstliche Rede an Herrn Belmonte. Wenn er wenigstens da gewesen wäre! Hatte er nicht versprochen, rechtzeitig zu kommen?
Ich ging zum Ausgang. Die alte Frau an der Kasse schnarchte vor sich hin. Na ja, dachte ich, du weißt es nicht besser. Und ich freute mich darauf, daß die Besucher ihr heute abend nicht gestatten würden, größere Schlafpausen einzulegen. Aber von Herrn Belmonte war auch hier noch nichts zu sehen.
Ich drängte mich durch den Mittelgang wieder nach vorne, mich in die erste Reihe zu setzen. Hatte mich doch Herr Belmonte ausdrücklich gebeten, in der ersten Reihe so lange Platz zu nehmen, bis er selbst kommen würde. Als ich endlich nach vorne gekommen war, war die erste Reihe schon besetzt. Ein paar Gäste schienen sich doch so weit beruhigt zu haben, daß sie die Zeit bis zu meinem ersten Anschlag sitzend verbringen konnten. Ich nahm also in der zweiten Reihe Platz. Man kannte mich ja nicht. Und mir wäre es peinlich gewesen, zu einem Herrn meines ersten Publikums sagen zu müssen, er möge sich in die zweite Reihe setzen, um mir Platz zu machen. Kaum saß ich, wurde das Licht ausgelöscht, und aus einem schwarzen Vorhang, der die Bühne nach hinten abschloß, schälte sich plötzlich Belmonte. Da sein Anzug schwarz war wie der Vorhang hinter ihm, sah man eigentlich nur sein großes weißes Gesicht und

die runden weißen Hände, die er bei seinen ersten Worten vor der Brust ineinanderlegte. Grußworte an sein Publikum waren es. Eine leise Stimme, die ein wenig traurig im stillen Saal verrann. Er habe nur Bekannte eingeladen für diesen Abend, nur Freunde, möchte er sagen, ihm Freund und der Musik. Darum habe er auf Plakate verzichtet, überhaupt auf das grelle Reklamegeschrei, zu dem die Kunst im Wettbewerb mit den Muskelkämpfen leider gezwungen werde. Er habe sich aus diesem entwürdigenden Wettbewerb befreit, habe darum jene Einladungen verschickt, die wahrscheinlich manchem lieben Gast, der jetzt hierhergekommen sei, ein bißchen Kopfzerbrechen gemacht hätten. Nun, er wolle jetzt den Schleier lüften, sagte Herr Belmonte und fuhr sich mit dem Taschentuch zum erstenmal über die Stirn. Was Belmonte jetzt von sich gab, was jetzt geschah, kann ich nur mit großer Anstrengung wiederholen; es war damals schwer zu ertragen für mich.
Belmonte sagte: Das Publikum selbst müsse sich die Pianisten wählen, die es in Zukunft hören wolle. Die großen Meister, die jetzt noch die Säle füllten, könnten jeden Tag sterben, so groß seien sie geworden, so alt auch. Der Nachwuchs aber sei da, stünde immerfort vor der Saaltür und warte darauf, eingelassen zu werden. Er, Belmonte, habe ihn eingelassen und habe verschiedene junge Pianisten hierhergebeten, um denen Gelegenheit zu geben, sich dem Publikum vorzustellen. Diese Pianisten bitte er, jetzt auf die Bühne zu kommen. Das Publikum aber möge entscheiden, wen es zuerst hören wolle und was es hören wolle.

Möge auch entscheiden am Ende dieses neuartigen Konzerts, wen es in Zukunft wieder und wieder hören wolle.
Ich erhob mich, als Herr Belmonte dies sagte. Ich war betäubt, meine Finger waren gefühllos geworden, hingen schlaff an den Händen: wie tot. Mir war auch nicht mehr heiß. Und während ich zusammen mit meinen Kollegen auf die Bühne trat, dachte ich daran, daß ich mich wachhalten müsse, da ja nun kein Konzert, wohl aber ein Wettbewerb beginne, der über meine Zukunft entscheide.
Herr Belmonte sprach noch, als wir schon auf ihn zugingen, ihn links und rechts in loser Ordnung säumten. Er sagte in den Saal hinab, als entschuldige er sich für die große Zahl von Pianisten, die jetzt auf die Bühne strömten: er habe diese jungen Herren ja nicht aufs Konservatorium geschickt, er habe sie nicht bewogen, Pianisten zu werden. Jetzt aber seien sie da und sie brauchten Publikum, um zu leben. Nun kämen diese Pianisten aber einmal, zweimal, manche sogar dreimal die Woche zu ihm; belagerten in nicht abzuschüttelnden Trauben sein Büro, zertrampelten ihm Sekretärin um Sekretärin. Er sei zu schwach, sie abzuwehren, weil sie jung seien und kräftig und in der Überzahl. Sie kämen zu ihm, als habe er sie nicht nur in die Welt gesetzt, sondern sogar gezwungen, Pianisten zu werden; als habe er ihnen auch in die Hand versprochen, ihnen nach beendeter Ausbildung Ruhm und Geld in beliebiger Fülle zu verschaffen.
Er wisse auch, sagte Belmonte jetzt mit lauter Stimme, daß es sein Schicksal sei, eines Tages unter den

vor Untätigkeit wahnsinnig gewordenen Pianistenhänden zu sterben. Erwürgen würden sie ihn, das sei unabwendbar; ihre Hände seien ja langfingrig und in kräftigen Griffen geübt; aber bevor ihn dieser Tod ereile, ein Berufstod gewissermaßen, wolle er die Öffentlichkeit auf diese schrecklichen Entwicklungen hinweisen. Aber vielleicht sei der Staatsanwalt, der dann die Mörder des Agenten Belmonte anzuklagen habe, heute im Saal; dann möge er heute schon erfahren, daß Belmonte selbst jedem seiner Mörder schon im voraus verziehen habe. Belmontes Stimme hatte zugenommen an Glanz und Stärke, war zu einer großen Peitsche angewachsen, die in regelmäßigen Schwüngen auf die Stuhlreihen niederschlug, während aus dem Saal immer noch junge bleiche Männer mit glühenden Augen zur Bühne drängten.
Nun war die Bühne gefüllt, dicht gedrängt standen wir jungen Pianisten und sahen, daß noch immer nicht alle Platz gefunden hatten. Vor der Bühne wurde eine Reihe und noch eine zweite gebildet, dann endlich schienen sich alle aufgestellt zu haben. Wie ein riesiger Männerchor standen wir, eine schwarzträchtige Schar von Wölfen auch, die mit nervösem Nüsterngebläse und zuckenden Gliedern um ihren Bändiger tänzelt.
Als aber alle sich eingefunden hatten, als Belmonte zum Wettbewerb aufrufen wollte, da sahen wir, da mußte auch Belmonte sehen, daß der Saal nunmehr nicht einen einzigen Menschen barg.
Die Stuhlreihen glänzten leer und feierlich. Alle, alle

Besucher waren also Pianisten gewesen. Belmontes Ruf an seine Freunde, die Freunde der Musik auch, war verhallt. Wirkungslos.
Wir sahen zu Belmonte hin. Der hatte wohl schon früher als wir bemerkt, wie es um sein Unternehmen bestellt war. Er war bleicher als je. Sein Kopf war nach vorne auf das zweite Kinn hingesunken, preßte die schwarze Falte von Ohr zu Ohr, als lege sich schon eine schwarze Drahtschlinge um seinen Kopf: Belmonte schwankte, warf die rund gepolsterten Händchen von sich. Fiel und wurde von uns im letzten Augenblick aufgefangen. Wir trugen ihn heim in sein Büro, legten ihn auf den Teppich und saßen, standen, lagen und hingen um ihn herum, eine Traube hungriger Herren, wortlos, blicklos und wenig atmend. Als er sich wieder regte, die Augen aufschlug und sich erheben wollte, da drehten wir uns ab, verneigten uns und verließen auf Zehenspitzen Belmontes Büro.
Es folgten Wochen ohne Belmonte. Vielleicht habe ich geatmet in jenen Wochen, vielleicht habe ich sogar die Augen geöffnet, die Hände bewegt: ich weiß es nicht mehr. Es gibt keine Erinnerung an jene Zeit. Daß ich sie überlebt habe, ist noch kein Beweis dafür, daß ich auch in jenen schrecklichen Wochen noch atmete. Ich war ausgelöscht. Zertreten. Wochen ohne Belmonte. Ich vermute, daß ich mich in den Lampenschirm legte zu den toten Stubenfliegen. Dorrte. Starrte. Bewegungslos. Vielleicht auf eine Putzfrau hoffte, die mich aufwischen würde, mich beerdigen würde im Staubsauger, zusammen mit den toten Flie-

gen. Sicher ist, daß es so gekommen wäre, wenn Belmonte nicht noch einmal eingegriffen hätte.
Belmonte war fortgegangen nach jenem Abend. Er hatte eine Stelle angenommen in einem großen Hotel. War Empfangschef geworden. Und dann hat der gute Mann mir wieder einen Brief geschrieben. Hat mich eingeladen, ihn zu besuchen. Und ich besuchte ihn und er stellte mich ein. Portier wurde ich. Und ich erkannte in den anderen Portiers des riesigen Hotels bald den und jenen Kollegen aus dem Saal.
Belmonte hat uns alle gerettet.
Nachts, wenn wir in den Dachboden hinaufklettern, das letzte Stück über schmale schwarze Eisenleitern, nachts, wenn wir uns auf dem Dachboden schlafen legen, in einem weiten Kreis, in dessen Mittelpunkt unsere Köpfe liegen, nachts haben wir Zeit, Belmonte zu danken: wir verfassen Lieder, die seinen Namen singbar machen, wir murmeln Sprüche, Gebete für Belmonte. Und wenn wir einschlafen und wenn wir aufwachen und wenn wir uns irgendwo während der Arbeit begegnen, dann grüßen wir uns mit unserem Gruß, und der heißt: »Was wären wir ohne Belmonte!«
Der Dienst, den uns Belmonte im Hotel verschafft hat, zeugt von seiner großen Weisheit: die weinroten Uniformen stehen uns jungen Männern gut zum blassen Gesicht! Und wenn wir mit unseren geübten Fingern nach den glänzenden Messingbeschlägen der Hoteltüren greifen, den Gast mit schön gebogener Hand durch die Halle geleiten, zum Empfang, zu Herrn Belmonte, dann muß jeder Gast spüren, daß

diese schlanken Herren mit den tiefliegenden Augen aus einer guten Schule kommen. Wahrscheinlich vermutet mancher, daß wir unsere federleichten Bewegungen einer besonderen Aufzucht verdanken, hält uns gar für eine kluge kluge Hunderasse. Tänzertiere. Hellohrig, feinädrig und im Lautlosen geübt.
Und wirklich: wir freuen uns der schlanken Dienlichkeit unserer biegsamen Körper und sind Belmonte und unserem Dienst so sehr verfallen, daß wir freundlich und dankbar hinaufkläffen zu Belmonte, der in der Empfangsloge thront. Und wenn einmal einen Augenblick gar keine Gäste zu sehen sind, wedeln wir mit den Ohren und kneifen einander mit den Zähnen in Schultern und Arme, verharren möglichst lange so ineinander verbissen, genießen die Sicherheit des Hotels, das uns schützt vor der eisigen Gleichgültigkeit der Welt. Und Herr Belmonte wirft uns zum Überfluß noch Zuckerwerk zu. Wir schnappen danach mit Maul und Händen und stecken es ein, wenn wir riechen, daß Gäste kommen – und das riechen wir. Dann geht es bücklings, voll bleckenden Übermuts zur Drehtür hinaus und fröhlich winselnd richten wir uns dem Auto entgegen, das anfährt und mit sanft singenden Reifen dicht vor uns hält. Wir greifen Gepäck, nicken zu allen Weisungen der mächtigen Herrschaft mit aufrechten Ohren und rollen uns geräuschlos wie Teppiche vor den Herrschaften her in die Halle hinein und liefern Herrn Belmonte die Gäste aus wie eine gute gute Beute.
Das Hotel blüht auf. Die Fensterscheiben gleißen wie nie zuvor. Selbst der Direktor gibt zu, daß er

es uns zu danken hat. Er achtet uns sehr. Streicht uns über die Schultern mit seiner großen Hand, verwöhnt uns mit Süßzeug und Schmeichelworten, knurrt zu uns herab, weil er glaubt, er müsse sich so mit uns verständigen. Daß wir Menschen sind, kann auch er sich nicht mehr vorstellen! So weit werden es Menschen in der Dienstfertigkeit nie bringen! Warum soll der Direktor nicht glauben, daß Belmonte ein geheimnisvoller Züchter neuer Lebewesen ist? Warum soll Belmonte nicht der Mann sein, der endlich erkannt hat, daß Menschen ihresgleichen nie recht bedienen werden. Was zweifüßig herumläuft, den Mund zum Widerspruch gebraucht, aussieht wie die Herrschaft selbst, das wird nie zum vollkommenen Dienst sich finden. Belmonte aber hat uns, die wir von der Gleichgültigkeit der Menschenwelt längst erwürgt waren, er hat uns ganz herausgenommen aus jener Welt und hat uns in weinrote Uniformen gesteckt, hat uns einen warmen Dachboden verschafft und uns eine Lebensart beigebracht, die uns ein fröhliches und gemeinsames Atmen ermöglicht. Wir wollen uns nicht mehr mit den Menschen messen. So tut der Direktor gut daran, wenn er fast zärtlich zu uns herabknurrt, um uns seine Anerkennung zu zeigen. Wir antworten ihm dann auch mit Zwinkeraugen, beweisen ihm, daß wir sein Knurren besser als alle Worte verstehen.
Wie sehr die aufrecht gehenden Menschen uns schon als besondere Wesen erkennen, bewies uns der Antrag einer diamantenbestickten Dame, die uns dem Direktor abkaufen wollte, um uns mitzunehmen nach Amerika in ihre Villa, in der sie einsam und unbeschützt

leben muß. Der Direktor hat es abgelehnt, auch nur ein einziges seiner gelenkigen Wesen zu verkaufen. Kein Preis war ihm hoch genug gewesen. Das hat uns gerührt. Eine kleine Lache Tränen stand inmitten unseres Kreises, als Belmonte uns dies erzählt hatte.
Und doch ist unser Glück nicht vollkommen. Nicht daß einer von uns mit einem besonderen Gram durch die weiten Hotelgänge trabte, daß einer gar im Schlafsaal unterm Dach einsam hinter einer Kiste kauerte, um sich nicht-mitteilbaren Kummer aus der Seele zu weinen. Das liegt hinter uns. Wir sind so ununterscheidbar geworden, haben auch alle trennenden Namen Gott sei Dank abgeworfen, daß wir alles gemeinsam genießen und ertragen.
Ertragen müssen wir aber, daß uns manchmal die Finger wahnsinnig werden, daß sie plötzlich wie wild zu trommeln beginnen. Und dagegen kann sich keiner wehren. Das überfällt einen plötzlich. Ob man da gerade müßig zu Füßen Belmontes kuschelt oder vor einem Gast hertrabt, man läßt fallen, was man in Händen hat, und beginnt, als sei man ein Pianist, als sei der Koffer des Gastes ein schwarz glänzender Flügel, beginnt zu spielen. Ein stummes Spiel. Dem Gast scheint es stumm, dem Fremden, Nichtsahnenden. Uns kreischt es in den Ohren. Eine schreckliche Musik. Da können wir nicht anders, wir müssen singen. Das ist natürlich kein Singen mehr, sondern ein Jaulen, das in den Marmorgängen des Hotels widertönt. Das ist peinlich und der einzige Anlaß für einen Gast, sich über uns zu beschweren. Aber Belmonte hilft auch hier. Er geht zum Direktor, spricht mit den

Gästen, erklärt unsere besondere Herkunft so gut, daß die Gäste uns dann nur noch neugierig und gerührt betrachten.
Nun wären diese Anfälle auch für uns ein steter Anlaß, traurig zu sein, wenn Belmonte nicht wäre. Belmonte aber hat uns einen Plan enthüllt, der es uns leicht macht, diese Anfälle zu bestehen; einen Plan, der sie geradezu vermeidbar macht. Belmonte sagte eines Abends, als wir im Schlafsaal um ihn herumlagen: wenn wir lange genug diesen Hoteldienst versehen hätten, würden wir so sehr zu jener besonderen Hunderasse geworden sein, für die man uns heute schon halte, daß unsere ehemalige Herkunft auch dem Fachmann nicht mehr erschließbar sei. Diese Entwicklung müsse man reifen lassen. Man müsse alle die Änderungen, denen wir unterworfen seien, außen und innen, sorgfältig beobachten und mit sorgsamer Gärtnerhand befördern. Das wolle er tun. Wenn wir dann ganz geworden seien, was wir jetzt zu werden angefangen hätten, wolle er für uns den Dienst hier kündigen und die alte Agentur Belmonte wieder errichten. Und wir würden die begehrtesten Pianisten werden in den Musiksalons dieser Erde. Noch niemals habe es eine Hunderasse zu so virtuosen Leistungen in der Interpretation klassischer und moderner Werke gebracht. Der Erfolg, der in seinen Ausmaßen jetzt noch gar nicht vorstellbare Erfolg, den wir haben würden, entschädige uns für alle Mühen, die wir vorerst noch ertragen müßten.
Belmonte hatte gesprochen wie früher. Wir waren fasziniert. Unsere Ohren gerieten in Bewegung,

unsere Mäuler jappten nach Luft, die Zungen schlugen rot vor unseren blassen Gesichtern herum und ein sieggewisses Jaulen erhob sich aus unserem Kreis. Die verdorrten Balken unseres Dachbodens glühten auf im Widerschein unserer Augen, das Hotel schien zu beben. Und es hat nicht zu beben aufgehört seit jener Stunde, da Belmonte uns von unserer Zukunft unterrichtete. Alle Talente der Bewegung sprangen in uns auf: Schlange und Vogel und Wasser und Blumenstiele im Frühjahrswind, wir haben's in uns und jubeln fort durch die Gänge, wie schwer das Gepäck auch ist. Wir wissen ja: Belmonte wird uns früher oder später – er wird schon den rechten Zeitpunkt wählen – in die Konzertsäle führen. Kläffend werden wir auf die Bühne stürmen, die Zuschauer einen Augenblick tief erschrecken, dann aber werden wir uns mit einem sehnenstarken Sprung auf den Klavierstuhl setzen und werden aufrecht sitzen, als wären wir Menschen: und mit einer an Hunden noch nie beobachteten Musikalität werden wir die großen Werke der Musikliteratur spielen.
Was bedeutet da der Fußtritt eines Gastes, der uns die Treppe hinabwirft! Was bedeutet die Bosheit der Köchin, die uns Knochen servieren läßt, die sie zuvor von ordinären Hofhunden peinlich sauber abnagen ließ! Nicht einmal der Haß der Kellner kann uns verdrießen, obwohl der am schwersten zu ertragen ist. Diese schlecht tanzenden Burschen, Plumpse allesamt, haben nämlich bemerkt, daß wir sie an Leichtigkeit der Bewegung, an Schlankheit und lautloser Schnelligkeit weit übertreffen. Sie quälen uns, wo

immer sie können. Reichen sie einem Gast Feuer, so drücken sie das Zündholz danach auf unserer Haut aus, als wär' sie schon ein Fell. Tragen sie an uns dampfend heiße Suppen vorbei, so verschütten sie absichtlich eine Kleinigkeit, um uns die immer dienstfertig aufwärtsgerichteten Augen zu verbrühen.
Aber das alles ertragen wir fröhlich knurrend, freundlich winselnd, seit wir wissen, daß Herr Belmonte uns zurückführen wird in die Konzertsäle der Welt. Und daß uns dann der Erfolg nicht mehr aus den Zähnen gerissen werden kann, daß dann unsere Säle immer immer voll sein werden, das ist sicher.
Belmonte kennt doch die Welt. Er hat lange genug die leeren Stühle seiner Konzertsäle studiert, hat lange genug das Unbehagen in den Augen aller Konzertbesucher gesehen, er weiß, was diese Besucher selber nur ahnen: Hunde wollen sie sehen auf den Podesten. Hunde an den Klavieren. Belmonte kennt doch die Welt. Und er handelt danach. Handelt an uns. Und wir fügen uns ihm. Gehören ihm. Denn: was wären wir ohne Belmonte ... ?

Templones Ende

Herr Templone war nicht der Mann, der auf das erste beste Geflüster hin seine Villa verkauft und das schattige, in den Wald hineingebaute Villenviertel verlassen hätte, um irgendwo in der Stadt drin in einem hundertfenstrigen Mietshaus Unterschlupf zu suchen. Ja, wenn eine ganz neue und giftige Insektenart in Bernau eingefallen wäre, wenn sich in dem moosigen Waldboden, auf dem das Viertel gebaut war, eine erdzerwühlende böse Tierart niedergelassen hätte, die alle Wurzeln vernichten, die Häuser unterhöhlen und dadurch zum Einsturz bringen konnte, wenn es Gründe dieser Art gewesen wären, hätte Herr Templone, der sein Vermögen durch Grundstücksspekulationen erworben hatte, wahrscheinlich auch an Verkauf gedacht. Aber vielleicht hätte er sogar dann noch den Kampf aufgenommen, um dem Ungeziefer Herr zu werden, hätte versucht, seinen Besitz gegen diesen Angriff aus dem Boden und von den Bäumen her zu verteidigen.
Die Gefahren, die das Villenviertel zur Zeit zu bedrohen schienen, waren anderer Art, vielleicht waren sie schlimmer als die giftigste Insektensorte, vielleicht waren sie viel, viel harmloser; daß man das nicht recht wußte, war vielleicht sogar das Schlimmste.
Als Herr Templone vor dem Krieg seinen Besitz in Bernau erworben hatte, konnte er das Gefühl haben, einen sehr glücklichen Kauf getan zu haben. Mit den

Nachbarn hatten er und seine Tochter Klara in bestem Einvernehmen gelebt. Man hatte Feste gefeiert, hatte sich regelmäßig besucht, ohne die Gesellschaftlichkeit zu übertreiben. Nach dem Kriege aber wechselten viele Häuser ihre Besitzer, und die Mauern zwischen den einzelnen Grundstücken schienen von Jahr zu Jahr höher zu wachsen, und was hinter den Mauern der Nachbarn geschah, wußte Templone nicht mehr. Er vermutete, daß die neuen Besitzer, die sich nach dem Krieg in das Viertel eingekauft hatten, die da und dort alte Nachbarschaften durch ihre Neubauten und ihre Käufe getrennt und zerstört hatten, untereinander einen regen gesellschaftlichen Verkehr unterhielten; sie feierten mehr Feste als er und seine Bekannten früher gefeiert hatten.

Und glichen sie einander nicht, als wären sie alle untereinander verwandt? Oder gehörten sie gar einer Sekte an, einer Sekte, die den Plan gefaßt hatte, ganz Bernau für ihre Mitglieder zu erobern?

Je mehr Herr Templone vereinsamte, desto schärfer beobachtete er. Oft lag er abendelang hinter seinen Mauern und lauschte hinüber in die fremden Gärten und versuchte zu verstehen, was dort gesprochen wurde, warum dort so grell und so laut gelacht wurde. Daß nämlich sehr laut gelacht, aber nur sehr leise gesprochen wurde, das bestärkte Herrn Templone in seinen Ahnungen, daß sich etwas vorbereitete, was gegen ihn gerichtet war, gegen alle Besitzer, die noch aus der Zeit vor dem Kriege übriggeblieben waren. Templone beschloß, seine Tochter, sich und seinen Besitz zu verteidigen. Zuerst versuchte er, die

Altansässigen zu einigen: jeder sollte mit seiner Unterschrift schwarz auf weiß versprechen, seinen Besitz nicht ohne Einwilligung der anderen zu verkaufen, kein Fremder sollte sich ohne die Genehmigung aller Ansässigen ins Viertel einkaufen dürfen. Aber die Zeiten nach dem Krieg waren so verwirrt und so voller unvorhersehbarer Ereignisse, daß der und jener Hals über Kopf verkaufen mußte, ohne sich noch an ein Versprechen halten zu können. Und Templone hatte keine Macht, jemanden zu zwingen, ein Versprechen zu halten. Einer nach dem anderen zog weg, alle Beschwörungen Templones blieben fruchtlos. Man warf ihm Egoismus vor, sagte ihm ins Gesicht, daß jeder im Staate die Freiheit habe, sich zu bewegen, wohin er wolle, empfahl ihm, er möge doch seinen Besitz auch verkaufen, es zwinge ihn ja niemand, hierzubleiben. Templone aber war der Meinung, man müsse das Viertel halten, weil es doch offensichtlich geworden sei, daß die neuen Käufer unter einer Decke stünden, daß wahrscheinlich eine Organisation am Werke sei, das Villenviertel Bernau planmäßig zu erobern, eine ausländische oder staatsfeindliche Organisation gar! Und da dürfe man nicht weichen, nicht nachgeben, der Grundbesitz verpflichte zum Aushalten! Umsonst, umsonst! Einer nach dem anderen verkaufte. Und als man gar davon sprach, daß das Verkaufen nicht mehr so glatt ging, daß gewisse Käufer sich frech und schamlos darauf berufen hätten, daß dieses Viertel gewissermaßen ein verlorenes Viertel sei, daß sie genau wüßten, wie sehr den Villenbesitzern daran gelegen sei, von hier wegzukommen, und als es gar vorgekommen sein sollte, daß ein Käufer von einer Verhandlung laut lachend aufgestanden sei, das Haus verlassen habe mit dem Ruf, er werde die Villa in absehbarer Zeit auch umsonst haben können, ohne einen Pfennig Geld, da waren viele Villenbesitzer nur noch darauf bedacht, für sich allein zu handeln und ohne Benachrichtigung der Nachbarn so rasch als möglich zu verkaufen. Es wurden nicht einmal mehr Abschiedsbesuche gemacht. Eines Morgens merkte man, daß in der Nachbarvilla neue Gesichter auftauchten, dann wußte man, wieder hatte einer verkauft. Einige inserierten in großen ausländischen Zeitungen, weil sie fürchteten, es habe sich auf dem inländischen Immobilienmarkt schon herumgesprochen, wie in Bernau die Villen verschleudert wurden. Aber drei, vier Besitzer hatte Templone immer noch zu halten vermocht! Er hatte ihnen zu guter Letzt bewiesen, die Panikstimmung, die sich in Bernau verbreitete, sei wahrscheinlich nur die Machenschaft einer großen Immobilienfirma, die auf diese Weise ein ganzes Viertel zu lächerlichen Preisen aufkaufen wolle. Templone glaubte nicht alles, was er seinen Freunden vortrug. Auch ihm war es nicht ganz angenehm, in einem Haus zu wohnen, das, wenn man es verkaufen wollte, keinen Wert mehr hatte. Er und seine Freunde waren zu sehr daran gewöhnt, daß die Annehmlichkeiten ihres Villendaseins, daß ihr Selbstbewußtsein und ihre Sicherheit letztlich darauf beruhten, daß sie auf wertvollen Besitzungen lebten, auf teurem Grund und Boden, teuer, nicht bloß zum Verkaufen, sondern teuer, um darauf zu leben.

Ja, es war schon ein arger Widerstreit in jedem Besitzerhirn, und es bedurfte großer Anstrengungen, die Freude an der Villa und am Garten aufrecht zu erhalten, wenn man wußte, daß alles täglich wertloser wurde. Templone beschloß die Reden an seine Freunde immer mit dem Satz: »Ja, wenn die Luft schlechter würde, wenn die Blumen ihre Farben, die Tannen ihr Grün verlören und die Mauern abzubröckeln begännen, dann wäre es höchste Zeit, zu verkaufen. Aber was kümmern sich die Blumen, die Tannen und die Mauern um die Grundstückspreise? Einen Dreck! Also werden wir das gleiche tun und unseren Besitz genießen, ohne an die Zahlen der Spekulanten zu denken.«

Da seine Freunde wußten, daß Templone sein Vermögen mit Grundstücksspekulationen erworben hatte, glaubten sie ihm und blieben vorerst noch in Bernau, mieden aber die neuen Nachbarn mit Vorsatz und Plan, als wären die lauter Aussätzige.

Templone sorgte dafür, daß man sich untereinander häufiger traf, Feste feierte, musizierte und die alten Freundschaften vorsätzlich vertiefte. Seine Tochter Klara, ein stilles zartes Fräulein von achtunddreißig Jahren, unterstützte ihn in allen seinen Unternehmungen. Beide hatten Jahre hindurch ein recht zurückgezogenes Leben geführt; feste, anscheinend ganz unumstößliche Gewohnheiten hatten sich entwickelt. Vater und Tochter sahen sich nur zweimal am Tage, beim Frühstück und beim Mittagessen, danach nahm jeder seine Route auf, die ihn durch das ganze Haus führte, aber so, daß sich die Wege der beiden an diesem Tag nicht mehr kreuzten. Templone pflegte vom Mittagstisch aufzustehen, einen Gruß in die Serviette zu murmeln und gleichzeitig den Stuhl, auf dem er gesessen hatte, ganz dicht an den Tisch zu rücken; dann ging er in die Bibliothek, um alte Zeitungsbände durchzublättern. Seine Bibliothek bestand ausschließlich aus gebundenen Zeitungen der letzten fünfzig Jahre. Er hatte begonnen, diese Zeitungen vom ersten Jahrgang an noch einmal durchzuarbeiten; vor allem die Seiten, auf denen die Wirtschaftsberichte standen. Seine Tochter Klara wußte, daß ihr Vater zwei Stunden bei den Zeitungen bleiben würde. Sie hatte also zwei Stunden Zeit, im Garten herumzugehen, ohne Gefahr zu laufen, auf ihren Vater zu treffen. Mit weit ausgreifenden Schritten ging sie über die hintere Terrasse in den Garten, in einer geraden Linie quer über die Wiese bis zum ersten Blumenrondell; da blieb sie ruckartig stehen, als sehe sie diese Blumenanlage zum erstenmal, beugte sich über die Blüten oder, wenn es Herbst und Winter war, legte die Hand auf die blattlosen Ranken und Zweige und reckte den Kopf hoch, daß der hagere Hals sich weit aus dem nüchternen Kragen dehnte; so blieb sie lange stehen, lächelte wie in Erinnerungen und dachte in jeder Sekunde daran, daß sie sich sinnvoll benehmen müsse, weil ihr vielleicht jemand zusehe; sie hatte immer das Gefühl, daß sie über eine Mauer hinweg oder durch einen Vorhangspalt beobachtet werde. Ohne dieses Gefühl hätte sie nicht leben können; die unablässig beobachtenden Augen waren für sie zur Verpflichtung geworden, sich sinnvoll zu benehmen.

Sie war ängstlich darauf bedacht, von ihren Beobachtern in jedem Augenblick verstanden zu werden, weil sie die Beobachter nicht verlieren wollte; wenn sie nicht mehr das Gefühl gehabt hätte, daß ihr immer jemand zuschaute, hätte sich die Einsamkeit von den hohen Zimmerdecken der Villa, von den dunklen Flurwänden und von den ausgedorrten alten Bäumen herabgestürzt auf sie und sie erdrückt, erwürgt, sofort getötet. Nur von ihrem Vater wollte sie nicht gesehen werden. Der hätte vielleicht Fragen gestellt. Vielleicht hätte er ihr Benehmen sogar sonderbar gefunden.

Wenn Herr Templone seine Zeitungen gelesen hatte – was er übrigens mit dem gleichen gierigen Interesse besorgte, wie wenn die Zeitungen gerade erst am Vormittag ins Haus gekommen wären – wenn er das hinter sich hatte, legte er sich einen Mohairshawl um und wanderte in den Ostflügel seiner Villa, beging Zimmer um Zimmer, prüfte die Fenster, die Beleuchtung, die Schrankschlösser und den Inhalt vieler Schubladen. Klara aber schlüpfte durch eine enge Souterraintür in den westlichen Flügel des graugelben Gebäudes und arbeitete sich durch die Gänge und Zimmer, die in diesem Teil des Hauses lagen; sie hatte in jedem Zimmer etwas zu besorgen, und sie wußte allen ihren Besorgungen einen Anschein von Notwendigkeit zu geben. Sie nahm an einem Tag alle Bilder in allen Zimmern von den Wänden und hängte sie in anderen Zimmern auf. Weil nun die Bilder sehr verschiedene Ausmaße hatten, und weil die Tapeten an den Stellen, an denen Bilder gehangen hatten, noch von viel frischerer Farbe waren, sah sie am nächsten Tag sofort, wenn ein kleines Bild in einem größeren Rechteck frischfarbiger Tapete hing, sah also, daß sie unbedingt und sofort wieder korrigieren mußte. Dann sprang sie munter und aufgeregt solange zwischen den Zimmern hin und her, bis wieder alle Bilder am rechten Platz hingen. Dann war es meistens schon Dämmerzeit. Das war die Stunde, wo ihr das ganze Haus gehörte, weil ihr Vater im Zwielicht den Garten besuchte. Klara benützte diese Zeit zu überraschenden Besuchen kreuz und quer durchs ganze Haus. Sie tat so, als wolle sie ihren Beobachtern entkommen, aber immer wenn sie annehmen durfte, daß sie jetzt alle Verfolger abgeschüttelt hatte, wartete sie mitten in einem langen Flur, zündete alle Lichter an und lenkte die Beobachter durch lautes Singen wieder auf ihre Spur. Hörte sie dann ihren Vater über die Hinterterrasse das Haus betreten, flüchtete sie rasch in ihre eigene Wohnung, die aus drei Zimmern bestand, mit Küche und Bad. Rasch verschloß sie alle Zugänge, zog sich aus und badete sich, weil sie sich auf ihren Wanderungen durch die vielen Zimmer, in denen die Vergangenheit nistete, über und über mit Spinnweb und Staub bezogen hatte. Das Bad dehnte sie bis tief in die Nacht hinein, weil sie das Gefühl hatte, daß ganze Galerien von Zuschauern abzufüttern waren. Nur an Festtagen ging Klara abends noch einmal zu ihrem Vater hinunter, setzte sich neben ihn, bereit, die eine oder andere frostige Zärtlichkeit von ihm entgegenzunehmen.

So zirkulierten die beiden seit Jahren sanft und gleichmäßig wie die Ströme einer Warmluftheizung durch ihr großes Haus. Aber als rundum die neuen Nachbarn auftauchten, änderte sich alles. Templone brauchte seine Tochter. Und Klara ließ ihren Vater nicht im Stich. Sie band ihr bis dahin wildverwehtes Haar in einen strengen Knoten, zog wärmere Unterwäsche an und spielte auf dem Flügel hektische Märsche. Zuerst wurden nach allen Seiten reichende Beobachtungsstände eingerichtet. Sorgfältig bauten sie Fernrohre auf, drapierten sie mit Vorhängen, umgaben sie zur Tarnung mit harmlosen Vogelkäfigen, Blumentöpfen, Hirschgeweihen, Garderobeständern und verblichenen Gobelins. Abwechselnd hielten sie nun Wache, rannten von Fernrohr zu Fernrohr, um die Gewohnheiten und Geheimnisse ihrer neuen Nachbarn kennenzulernen, um gewappnet zu sein gegen alle Überraschungen, die sich jenseits ihrer Gartenmauern vorbereiten konnten. Und abends schlich Herr Templone in gebückter Haltung, seine Tochter an der Hand hinter sich herziehend, zur Gartenmauer, verbreiterte die glitzernde Spur der Glasscherben auf der Mauerkrone, säte Eisenhaken und scharfe Blechschnitzel nach einem von ihm selbst gezeichneten Plan und preßte sein Ohr und das seiner Tochter gegen das rauhe Mauerwerk, um aus dem Wortgeschwirre und laut aufbrausenden Gelächter jenseits der Mauer seine Schlüsse zu ziehen. Nun hatte Herr Templone – was er früher immer abgelehnt hätte – sogar einen Untermieter aufgenommen, hatte ihm eine ganze Etage im Westflügel der Villa überlassen, zu einer lächerlich geringen Miete übrigens, bloß, weil er ein Beispiel geben wollte, wie man sich in diesen Tagen zu verhalten habe; Professor Priamus, der neue Untermieter, war nämlich eine Art Opfer jener Ereignisse, die Herrn Templone so arg beunruhigten. Er hatte seit Jahrzehnten eine Villa bewohnt, die ihm nicht gehörte. Der Besitzer, der sich die meiste Zeit im Ausland aufhielt, hatte aber wahrscheinlich von seinem Verwalter erfahren, wie es um die Grundstücks- und Villenpreise in Bernau stand und hatte nichts Besseres zu tun gewußt, als kurzerhand seinen ganzen Besitz zu verkaufen. Professor Priamus hatte dem Besitzer lange handgeschriebene Briefe geschickt, hatte sie an die Hotels adressiert, in denen sich allem Vernehmen nach der Besitzer gerade aufhielt, hatte auch den Vermerk »Wenn abgereist, bitte nachschicken«, nicht vergessen, aber sei es, daß jener Herr mit einer von der Post nicht mehr zu erreichenden Geschwindigkeit von Hotel zu Hotel reiste, sei es, daß er gar nicht antworten wollte, auf jeden Fall hatte der Professor auf keinen seiner Klagebriefe eine Antwort bekommen. Er mußte die Villa räumen. Da hatte Templone eingegriffen und hatte den Professor und seine elftausend Bücher und seine verblichenen Papierbündel bei sich aufgenommen und die einem gestorbenen Raubvogel ähnelnde Haushälterin auch. Professor Priamus, der die letzten Jahre hindurch kaum von seinen Papieren aufzublicken die Zeit gehabt hatte, nahm seine wissenschaftlichen Arbeiten im Hause Templone sofort wieder auf. Aber Herrn Templone gelang es, den alten Professor einmal zwei Nachtstunden hindurch von seinen Papieren abzuziehen und ihn auf die Gefahren, die ringsum drohten, aufmerksam zu machen. Der Professor lächelte zwar jahrhunderttief vor sich hin, versprach aber doch, Herrn Templone einmal auf einem Erkundungsgang zur Gartenmauer zu begleiten. Als Klara und ihr Vater ihn immer wieder dazu drängten, schlich er tatsächlich eines Abends mit an die Gartenmauer, aber weil er den unebenen Gartenboden nicht gewöhnt war, stürzte er einige Male so empfindlich, daß er die Gartenmauer nicht erreichte; mit Hilfe der Haushälterin mußten sie ihn, der jammernd und kaum noch atmend in ihren Armen lag, in seine Arbeitsstube hinauftragen, mußten ihn verbinden, seine arg zerschundenen zarten Glieder bandagieren und ihn auf seinen hartnäckigen Wunsch gleich wieder an den Schreibtisch setzen, wo er auch sofort wieder zu lächeln begann und gleich darauf bat, man möge ihn jetzt bitte nicht noch einmal stören, weil er am letzten Kapitel des dritten Bandes seiner »Geschichte der Vandalenzüge« zu arbeiten habe. Da begann auch schon die Haushälterin, Templone und Klara hinauszudrängen, an der Tür zischte sie ihnen noch nach. Templone war enttäuscht, schloß sich noch enger mit seiner Tochter Klara zusammen und begann mit seinen zwei letzten Freunden regelmäßige Sitzungen zu veranstalten, zu denen er auch Professor Priamus mit Gewalt aus seinen Papieren herauszog. Templones Freunde waren alte Herren wie er selbst, schlappbäuchig, die Gesichter durch Fältelung zu stetem Grinsen verzerrt; aber

Templone trug nicht, wie sie, versabberte Westen und fleckige Hosen, er war auch zarthäutiger und schöner als sie, denn er war nicht lange verheiratet gewesen, während sie zu jeder Sitzung noch ihre Frauen mitbrachten, alte Wesen in bläßliche Rüschen und Volants verpackt, flache kleine Körper von endlosen Perlenschnüren unregelmäßig gefesselt. Obermedizinalrat der eine, der andere: Hofrat und ehemaliger Kammersänger. Templone ließ immer viel Alkohol servieren, um die Sitzungen fröhlich zu machen. Klara mußte sich an den Flügel setzen, der Hofrat und Kammersänger mußte sich dazustellen, alle anderen hatten ihre Stühle dem Musikzentrum zuzudrehen, hatten ihre Gläser vors Gesicht zu halten, ein »Prosit« auszubringen und dann andächtig zuzuhören, was die mißhandelten Stimmbänder des Hofrats und Kammersängers unter der grellen und gierig sich vordrängenden Begleitung Klaras noch hergaben. Herr Templone inszenierte diese Sitzungen so geräuschvoll als möglich, riß dazu noch Fenster und Türen auf, weil er Wert darauf legte, daß die neuen Nachbarn jenseits der Gartenmauern hörten, daß es auch bei ihm hoch hergehe, daß man auch in den Häusern der Alteingesessenen noch übermütig und voller Lebenslust sei, ein Zeichen dafür, daß man sich noch lange nicht unterkriegen lasse. Darum erzählte der zartgebaute Finanzier Templone, der sein Leben lang ein stiller und vor sich hinlächelnder Mensch gewesen war, jetzt vor allen seinen Gästen die gewagtesten Geschichten und Witze, die er sich aus den alten Zeitungen extra zu diesem Zweck herausschte; und wenn das Gelächter, der brechende Diskant der zwei alten Damen, das Gekrächze der Haushälterin des Professors – nie hätte er früher eine solche Person in seinem Salon ertragen, jetzt war sie ihm zur bloßen Geräuschverstärkung als schrilles Instrument geradezu willkommen – dann die hüstelnden Baßstimmen seiner zwei Freunde und das schüttere Stimmchen des Professors und die harte Fistelstimme seiner Tochter, wenn dieses Stimmenaufgebot nicht ausreichte, um die Fröhlichkeit seines Hauses auch noch in der Nachbarschaft hörbar zu machen, so brachte er es über sich, nach seinen Geschichten selbst in ein sich grell überschlagendes Gelächter auszubrechen, das er, auf- und abschwellend, so lange aus seinem Munde preßte, als er auch nur noch ein Quentchen Luft in den Lungen hatte. Verständlich, daß ihn das sehr anstrengte. Er schämte sich auch, weil es ihm zutiefst fremd war, sich so aufzuführen – aber er wagte es nicht, seinen Gästen den Sinn dieser Sitzungen, den Zweck seines eigenen, oft peinlich übertriebenen Gebarens mitzuteilen. Er wollte doch beweisen, daß es immer noch eine Lust war, in Bernau zu leben.

Mit Schrecken bemerkte er, daß seine Tochter Klara dabei auf eine sonderbare Art aufzublühen begann. Sie trank bei diesen Gesellschaften mehr als alle anderen, sie begann mitzusingen, wenn sie den Kammersänger begleiten sollte, und was noch viel, viel schlimmer war, sie begann den alten Professor Priamus zu umwerben, und was das Schlimmste war, der kam ihren Werbungen entgegen, flirtete mit ihr auf eine Weise, daß Herrn Templone das Blut in den Adern rückwärts lief. Aber er mußte ja dankbar sein, daß Klara lauter war als je zuvor, daß das schüttere Stimmchen des Professors durch diesen späten erotischen Frühling auf eine Weise zu quieksen begann, daß es weit über die Gartenmauer hinweg Zeugnis gab von der Lebensfreude der Alteingesessenen, und darauf kam es Templone, dem Feldherrn dieses Kampfes, an. Aber je lauter Klara und der Professor wurden, desto stiller wurden die anderen, sahen einander an und schwiegen, sahen zu Templone hin, und der errötete. Es kam so weit, daß Klara und der Professor gar nicht mehr zu den Sitzungen erschienen, sie sperrten die Haushälterin aus, empfahlen ihr, sie möge in Zukunft den Haushalt Templones besorgen, Klara werde für immer bei Professor Priamus bleiben. Als Templone selbst an der Tür klopfte, dann rüttelte und pochte und schlug, antworteten sie ihm von drinnen mit den unanständigsten Lauten. Mit so unverhüllter Schamlosigkeit verrieten sie durch die Tür hindurch, was sie taten, daß Templone abermals errötete und in seine Bibliothek hinunterging und seine Gäste heimschickte und ihnen zum Abschied noch sagte, sie sollten tun was sie wollten, verkaufen oder nicht verkaufen, er wisse auch nicht mehr, was zu tun sei.

Aber als die Gäste fort waren, raffte er sich noch einmal auf. Er fuhr in die Stadt und kaufte sich einen Schallplattenapparat und einen Koffer voller Geräuschplatten. Die ließ er jetzt pausenlos laufen, bei offenen Fenstern und Türen. Ab und zu prüfte er

von seinen Beobachtungsständen aus, wie die Nachbarn auf die Geräuschplatten reagierten. Er spielte »Stimmendurcheinander«, »Theaterbeifall«, »Kindergarten«, »Schulhof« und sogar »Fußballplatz« ab. Aber die Nachbarn reagierten nicht darauf. Sie spielten weiterhin ihr leichtfertiges Tischtennis, lagen in grellfarbigen Liegestühlen, tuschelten und lachten und kümmerten sich nicht um ihn. Templone gab nicht nach, er hatte es sich jetzt angewöhnt, von morgens bis abends Geräuschplatten zu spielen, schon um die Geräusche, die der Professor und Klara in der Etage über ihm bei weitgeöffneten Fenstern vollführten, nicht hören zu müssen.
Manchmal, wenn er die Nadel mit seinen zittrigen Händen nicht mehr auf die Platte zu setzen vermochte, wenn sie wieder und wieder am Plattenrand vorbeistieß und den Velours des Plattentellers zerriß, wenn er die Haushälterin dazurufen mußte, wenn auch deren totenbeinige Hände immer wieder versagten, dann ließ er sich im Sessel zurücksinken und träumte, er habe in der Sonntagsausgabe der New York Times ein ganzseitiges Inserat aufgegeben, aber so verschlüsselt, daß jene Organisation, die nach seiner Ansicht an der Eroberung Bernaus arbeitete, nicht bemerken konnte, daß hier ein Bernauer Besitztum angeboten wurde. Dann träumte er davon, daß ein Herr käme, vielleicht würde er Mister Berry heißen, ein Vierzigjähriger von so auffallender Geschmeidigkeit, daß Templone sofort erkannte: das war ein Geschäftsmann, wie er es zu seinen besten Zeiten nicht gewesen war.

Einen Augenblick würde er, Templone, dann kraftlos zurücksinken, würde Mister Berry seine Villa hinwerfen, weil er sich für einen Handel mit einem so vor Stärke glänzenden Makler nicht mehr gewachsen fühlte; und Berry würde instinktiv nachrücken, würde seine prächtig formulierten Sätze mit der Tigerwitterung des großen Geschäftsmanns im rechten Augenblick in die wehrlosen Ohren des alten Templone schieben, wahrscheinlich würde seine Aussprache fremdländisch und betörend sein, bis er dann plötzlich zu lachen begänne ... Templones Traum erregte sich an dieser Stelle, benahm ihm den Atem, was sagte Mister Berry da: bitte sterben Sie nicht ausgerechnet in diesem Augenblick, Herr Templone, ich habe eine Reise gemacht, um Sie zu sehen, Sie, den letzten der Alteingesessenen, den hartnäckigsten. Man hat mir viel von ihren rührenden Versuchen erzählt, ja, ich bin der Chef der Gesellschaft, die Bernau aufkauft, ja, ich habe oft recht lachen müssen über Sie, Herr Templone, aber ich habe das Theater, das Sie aufführten, um der letzte zu sein, auch bewundert. Ein Mann wie Templone verkauft nur als erster oder als letzter. Als erster bekam man einen guten Preis, dann ging's abwärts, die einzige Chance war, der letzte zu sein, das weiß ein Fachmann vom Range Templones, er weiß, daß die Gesellschaft keine Ewigkeit warten kann, daß sie erst richtig anfangen kann, ihre Pläne in Bernau zu verwirklichen, wenn auch Templone verkauft hat, also wird sie den letzten gut bezahlen. Klug gedacht, Templone! Aber die Gesellschaft wußte ja, daß Templone ein Fachmann

ist, daß man ihm nicht mit den Druckmittelchen kommen konnte, denen die anderen erlagen, nachts Lastwagen vor dem Haus halten lassen, Scheinwerfer, die die Fassaden abtasten, Metallgeräusche und Gelächter hinter hohen Mauern, das zieht nicht bei Templone, Templone muß man allein lassen, denn ein Mann wie Templone kann nur von sich selbst zur Strecke gebracht werden, soweit wäre es also, nicht wahr, Herr Templone ...
Templone wachte aus solchen Träumen immer ganz erschöpft auf, kaum noch fähig, sich bis ans Fenster zu schleppen, um zu sehen, ob nicht doch ein Herr draußen stehe, der ihn sprechen wolle, ein Mister Berry vielleicht. Aber niemand wollte ihn sprechen. Kein Wort fiel mehr in Templones Haus. Auch die Geräusche in Professor Priamus' Räumen hatten aufgehört. Vielleicht hatte er sich von Klara getrennt, um weiterzuschreiben am vierten Band seiner »Geschichte der Vandalenzüge«. Vielleicht waren er und Klara dem Staub zum Opfer gefallen, den Spinnen, der Unordnung ihres Betts oder gar ihrer eigenen Gier. Auch die Haushälterin arbeitete nicht mehr für Templone. Sie blieb im Bett liegen und trommelte unablässig mit ihren Beinfingern gegen das Holz des Bettgestells. Er hörte es bald nicht mehr. Er versank in einer Ecke seiner Bibliothek: einer der großen schweren Zeitungsbände war über ihn gefallen, als er im untersten Fach des Regals etwas gesucht hatte, das riesige Buch hatte sich geöffnet, hatte ihm den Kopf und den Nacken niedergedrückt, auf den lange nicht mehr gereinigten Teppich, Templone hatte in der

Anstrengung, sich zu erheben, den Mund geöffnet, war mit offenem Mund wieder auf den Teppich niedergebrochen, hatte noch gespürt, wie ihm Haare, Staub und Faserzeug in die Mundhöhle drangen, trocken, scharf und stechend, dann hatte er sich nicht mehr gewehrt, war liegen geblieben unter dem großen schweren Buch, hatte mit den Augen die Stelle des Teppichs, die er noch sehen konnte, wieder und wieder abgetastet, bis er nichts mehr sah und nichts mehr spürte.

Der Gasmann, der ja sein monatliches Geld haben muß, kam später dazu und holte gleich die Nachbarn von links und rechts. Die besahen sich alles und sorgten für die Beerdigung des alten Herrn, der zwischen ihnen gelebt hatte, unverständlich wie ein Stein. Aber sie trugen es ihm nicht nach, daß er nie gegrüßt hatte, wenn man ihm begegnet war.

Die letzte Matinee

Aus fetten schwarzen Wolkenwülsten, die über der letzten Szene aufgezogen waren, schob sich grellweiß, an den Rändern zerfranst, das Wort: Fin; es war ein französischer Film gewesen. Ich tastete mich am Arm meiner Frau ins Freie, senkte den Kopf weit nach vorn, denn mich blendete der strahlende Sonntagvormittag; auch wollte ich nicht sehen lassen, daß mir in den Augen noch das Tränenwasser stand. Ich bückte mich, nestelte am Schuh, keuchte angestrengt und tat, als bemerkte ich nicht, daß meine Frau ungeduldig an mir zerrte.

Inga gehört seit ihrer frühen Jugend zu den Matineebesuchern, ihre Augen, die Augen jedes Matineehasen bestehen den Wechsel vom Kinoraum ins Sonnenlicht ohne Zwinkern; eine Routine, die ich mir in all den unzähligen Matineen, zu denen ich Inga in den vier Jahren unserer Ehe begleiten mußte, nicht anzueignen vermochte.

Der echte Matineebesucher tritt erhobenen Hauptes, mit schräg nach oben gestellter Stirn und Urteile formulierend, rasch und sorglos ans Tageslicht. Da er, darüber hinaus, etwas vom Film versteht, kommt er nicht in die Gefahr, weinen zu müssen. Daß ich so gar kein Talent zum Matineebesucher zeigte, war all die Jahre hindurch ein Anlaß zu Zerwürfnissen zwischen Inga und mir gewesen. Einen Mann zu haben, der immer noch das Gesicht zu Grimassen verzog und

wie ein Säugling zwinkerte, wenn er aus dem Kino
trat, der hastig die sich immer wieder erneuernden
Tränen aus dem Gesicht wischte und so gut wie kein
Wort zur Diskussion beitrug, die noch unter der Kino-
tür aufbrandete, einen solchen Mann zu haben, war
für Inga den anderen Matineefreunden gegenüber
peinlich genug. Auch an dem Sonntag unserer letzten
gemeinsamen Matinee hatte sich Inga sofort wieder
mit einem Maler in eine Debatte verstrickt. Der Maler, ein passionierter Matineebesucher auch er, trug
an diesem Tag einen blaugefärbten Lammpelz, der
wie eine weite Bluse um seinen schmalen Körper
schlenkerte und ihn bedeckte bis zu den Schenkeln
hinab. Die Beine staken in engen gelben Tuchschläu-
chen. Sein Gesicht war gesäumt von einem roten Bak-
kenbart, der aufgehängt wirkte und in so unglück-
lichem Gegensatz zu den jugendlichen Zügen des
Malers stand, daß man meinen konnte, der Maler
selbst sei ein unglücklicher und darum ein besonders
wertvoller Mensch.

Da ich ihm und seinesgleichen immer mit wortloser
Verehrung zu begegnen pflegte, stellte ich mich auch
jetzt stumm und ergeben hinter die linke Schulter
meiner Frau. Mein Gesicht spielte Zuhörer. Wie lange
würde es heute wieder dauern? Bis sechs Uhr abends
oder bis sieben? Es hatte Sonntage gegeben, da waren
wir gegen Mitternacht heimgekommen. Das hing ganz
vom Film ab, der zu behandeln war. Ringsum hatten
sich auch heute Dutzende von kleineren und größeren Diskussionszirkeln gebildet. Inga und dem Maler
hatten sich noch zwei Mädchen und ein junger Herr

zugesellt. So dicht und glatt waren die Haare der beiden Mädchen und so weit über die Stirne herabgekämmt, daß man von den Augen nichts mehr sah; wollten die Mädchen sehen, mit wem sie sprachen, so gingen sie unwillkürlich ein bißchen in die Knie, machten sich kleiner, als könnten sie so besser durchsehen unter der pechschwarzen Haarblende. Der junge, noch bartlose Herr, den sie zwischen sich gestellt hatten, bedeckte, wenn er seine Sätze formulierte, die Augen mit der flachen Hand und nahm sie erst weg, wenn er zu Ende gesprochen hatte und nun die Reaktionen der Umstehenden beobachtete; dazu führte er die Hand von den Augen zum Kinn und stützte dieses so lange in die gespannte Gabel von Daumen und Zeigefinger, bis seine Diskussionspartner ihm geantwortet hätten; setzte er zum nächsten Satz an, schwebte die Hand wieder nach oben, um die Augen des sich nun ganz auf sich selbst Konzentrierenden aufs neue zu bedecken. Obwohl ich diesen jungen Mann für ein unerschöpfliches Gefäß von Argumenten gehalten hatte, wurde die Diskussion heute schon nach wenigen Stunden ausgeblasen. Warum, kann ich nicht sagen; ich hatte ja nicht zugehört. Ich spürte bloß, daß mich Inga ärgerlich am Arm ergriff und durch alle Zirkel hindurch hinaus auf die Straße steuerte. Den Heimweg pflasterte sie – wie immer – mit Vorwürfen über meine Art, Diskussionen zu bestehen.

Als wir die Sandsteinstufen zu unserer Parterrewohnung hinaufstiegen, bat ich sie, die Tadelpredigt doch so lange auszusetzen, bis wir das Innere unserer Wohnung erreicht hätten. Sie verstummte. Die Haustüre war nur angelehnt. Um so besser. Einen Schritt über den winzigen Vorplatz bis zur Wohnungstür, ich löste schon den Schlüssel aus dem klirrenden Bund, da war mir – aber das mußte eine Täuschung sein – als hörte ich was aus unserer – eine Täuschung, ganz bestimmt – aus unserer Wohnung? Sicher nicht. Sicher waren's die Kinder der Facharbeiterfamilien in den oberen Etagen. Wie käme auch am hellen Sonntag jemand in unsere Wohnung! Schnell Inga angeschaut: die brütete finster, hatte also nichts gehört. Da ist ja auch gar nichts zu hören, das wird sich gleich zeigen, und ich führte den richtigen Schlüssel mit spitzer Daumen-Zeigefinger-Haltung bis zum Schlüsselloch, half nach mit der Linken, da hörte ich was, und wie deutlich! Männergelache war's und Gequiekse von Frauen. Das waren nicht die Bauklötzchenwerfer, die kindlichen Polterer der oberen Gänge! Inga? Jetzt stand auch sie anders: vom Hörenmüssen ganz starr, vorsichtig mit Bewegungen, als wäre sie selbst aus hauchdünnem Glas. Mir war der Atem sofort stehen geblieben; aus der Mitte des Körpers kritzelte es noch siedigheiß bis in alle Gliederenden, dann hörte es auf, ich spürte mich nicht mehr. Um nicht zu erstikken, stieß ich die Tür auf. Flur gibt's nicht bei uns. Die erste Tür geht gleich ins Wohnzimmer, und in dem lagen, saßen drei, vier, fünf, sechs Männer, mehr noch, ich zählte sie nicht, und wie viele Frauen? Die bewachten die Töpfe, die sie auf kleine, zweifellos selbst mitgebrachte elektrische Kocher gestellt hatten – oder waren es Spirituskocher? denn so viele

Anschlüsse wie hier Kocher aufgestellt waren, gab es gar nicht in unserer Wohnung! Inga drängte sich mir unter die Achsel. Jede Pore, die sie anstieß, war starr und tat weh. Wir standen immer noch in der schulterbreit geöffneten Tür und wurden nicht beachtet. Wenn einmal in der normalen Wendung des Kopfes ein Augenpaar auf uns traf, blieb es stehen auf uns. Einen Atemzug lang. Dann drehte es sich gleichmütig weiter. Seinen Zielen zu. Wir aber trieben unsere Augen ganz aus den Höhlen, konnten und konnten uns einfach nicht sattsehen an diesen Wohnungsräubern. So sehr wir auch schauten, alle ihre Bewegungen mit Nase, Mund und Augen nachfuhren, wie ein Hund das Fleischstück verfolgt in der auf- und niederspielenden Hand seines Herrn, sie richteten kein Wort an uns und fuhren in ihren Beschäftigungen und Scherzen fort, als seien sie es durchaus und von jeher gewohnt, so angestarrt zu werden. Nie hatte ich so unbefangene Lebewesen gesehen wie diese Schar, die sich allzu freimütig bei uns einquartiert hatte, während wir durch unseren Matineebesuch wieder einmal den guten Film unterstützt hatten. Hilflos und fast wütend buchstabierte ich noch einmal die Handlung des Films, den ich hatte anschauen müssen: ein Bildhauer, krank, genial, hungrig. Er kann nichts mehr arbeiten und geht dazu über, Menschen, die nachts an der Seine spazierengehen, in die Seine hinabzustoßen. Stößt einmal einen Mann ins Wasser, der ein Mädchen begleitet. Das Mädchen versteht den Bildhauer. Der Bildhauer sieht sich verstanden. Da erwacht er und verzweifelt jetzt wirk-

lich und geht zum Beweis dessen freiwillig in die Seine. Am Ende geht jenes Mädchen allein spazieren. Wieder an der Seine.
Und in der Zwischenzeit hatte man unsere Wohnung besetzt. Wären wir nicht in die Matinee gegangen, folgerte ich, wären wir noch unangefochtene Herren unserer Wohnung. Die Bewohner der oberen Stockwerke hatten ihre Wohnungen ja auch noch. Inga verachtete diese Bewohner zwar, weil sie zum stumpfen Abendpublikum zählten, zu den Konsumenten abendlicher Kitschdarbietungen, aber – das war durch keine Spitzfindigkeit aus der Welt zu schaffen – sie waren noch Herren ihrer Wohnungen. Ich hing den Geräuschen nach, die jetzt von oben herunterdrangen; kräftige Frauenarme stießen dort Töpfe und Kacheln in große Spülgelten. Eisen und Blech klapperten, dröhnten unter Wasser zusammen. In einem zweiten Arbeitsgang folgten Teller aus Glas und Porzellan, schriller stießen sie gegeneinander, bis auch sie ganz unter Wasser waren, das das Geräusch glucksend ins Dunkle brach.
Wie sehr hatte uns der Verlauf dieses einzigen Vormittags von diesen Geräuschen getrennt. Ich hörte ihnen nach, als wären es in Gesänge gefaßte eigene Kindheitserinnerungen. Und wie diese schienen sie mir unwiederbringlich vergangen zu sein. Ich streckte eine Hand aus, ein bißchen nach oben, sie trudelte kraftlos wieder herab.
Inga und ich standen immer noch in der kaum geöffneten Tür; aneinandergedrängt wie Frierende unter einer zu schmalen Decke. Haare, Kleider,

Stiefel, seltsame Töpfe auf winzigen Kochern und eine quick und hell hin- und herschwirrende Sprache, Glasglockengebell! Konnten wir dies ewig wie ein Theater betrachten? Genau besehen waren's Rothäute. Blauschwarze Haare hatten sie sich fettig und glatt um die Gesichter gepappt, exakte Ovale freilassend. Richtige Kinderbuchindianer. Allzu wirklich gewordene.

Inga zupfte mich nach rückwärts bis vor die Haustür hinaus und fiel mir dann laut aufweinend an die Schulter. Im ersten, zweiten und dritten Stock gingen Fenster auf. In der Nachbarschaft auch. Aus allen Fenstern hingen halslang die Mieter und beobachteten uns mit übertriebener Sorgfalt, als müßten sie nachher über jede unserer Bewegungen einen Schulaufsatz schreiben. Wahrscheinlich hatten sie alle mit angesehen, wie unsere Wohnung von jenen ungenierten Fremdlingen besetzt worden war.

Als ich mich dann mit Inga entfernte, erhob sich ringsum klappernder Beifall. Das taten sie nur, um sich bei den Fremden lieb Kind zu machen. Das würde ihnen, dachte ich, nicht viel helfen. Die Fremden waren allem Anschein nach ein kinderreicher Stamm, die brauchten noch mehr Wohnungen. Wo aber hin jetzt mit uns? Zum Wohnungsamt? Es war aber Sonntag. Der Dezernent für das Wohnungswesen turnte wahrscheinlich in diesem Augenblick zwischen seinen vielen Kindern in einer Waldschneise herum, in die kein Telephon hinabreichte.

Ich stolperte vorwärts. Ziellos. Inga weinte noch. Ich zerrte sie hinter mir her. Auf einem großen Platz

baumelte einer auf uns zu, ein Matineefreund, ich sah's sofort. Er freute sich, Inga auch. Sie trocknete ihr Gesicht mit Lächeln. Da trafen wir wieder einen und noch und noch und noch einen, wuchsen zu einem Haufen, und immer noch Zustrom, Zustrom, bis wir wieder der in Dutzende von Zirkeln aufgeteilte Klumpen vom Vormittag waren. Viele umarmten sich. Man habe sich eben doch zu früh getrennt heute morgen. Ja und die Wohnung, seltsam, nicht wahr, die habe man von fremden Leuten besetzt gefunden. Ja, ja, das gibt's. Die Realität macht Seitensprünge, also zum Thema von heute vormittag ...
So redeten sie. In ein paar Nebensätzen wurde rasch eingeflochten, daß Fremdvolk eingedrungen sei: grünhäutige Muskelmenschen bei dem, eine Art Husaren mit Affengesichtern bei den anderen, oder auch Stubenfliegen, größer als ausgewachsene Hühner, waren ernst um einen Tisch gesessen, hatten die Rüssel in eine Schüssel gesenkt, aus der sie laut schmatzend Zuckersuppe schlürften. Der bartlose junge Herr mit den zwei mühsam schauenden Mädchen erzählte, daß bei ihm eine Schar blaubärtiger Gouvernanten eingebrochen sei, die sich gegenseitig bis auf die unbeschreibliche Unterwäsche zerzaust hätten. Er erzählte dies, ohne die Hand über die Augen zu halten, aber mit vor Hochmut klirrender Stimme. Inga fühlte sich jetzt so gut aufgehoben, daß sie es wagte, in ähnlicher Tonart von unseren eigenen Erlebnissen zu sprechen. Als wir noch alleine gewesen waren, hatte ich versucht, sie zu beruhigen; da war sie in einen Weinkrampf verfallen und hatte mich angeschrien,

sie habe längst erkannt, daß ich nicht zum Gesprächspartner tauge für sie, jetzt aber müsse sie erleben, daß ich nicht einmal imstande sei, ihr eine Heimstatt zu sichern. Ich war froh, sie nun im frischen Wind der Rede und Gegenrede so aufleben zu sehen. Das nahm mir die Sorge für sie im Augenblick ab. Was getan werden mußte, konnte ich allein besser tun. Keineswegs wollte ich für den Rest meines Lebens in diesem Klumpen diskutierender Zirkel durch die Straßen schwimmen. Ich drängte mich nach vorne. Dem nächsten Schutzmann, den ich sah, winkte ich, ging auf ihn zu, er aber wich mir aus, sah sich selbst hilfesuchend um und rannte, als ich zu sprechen begann, kopflos davon.

Später versuchte ich es noch einmal mit einem anderen Polizisten. Der schien von unserem Zug gehört zu haben, wahrscheinlich hatte er sogar schon Weisungen erhalten, wie er uns zu behandeln habe, er ließ mich nämlich gar nicht an sich herankommen, sondern deutete schon von fern heftig, fast verzweifelt in eine neue Marschrichtung und schrie dabei in einem fort: »Es ist für alles gesorgt. Es ist für alles gesorgt.«

Ich lenkte den Zug in die angegebene Richtung. Den anderen war das gleichgültig. Wieder und wieder stießen wir auf Polizisten, die uns den Weg wiesen. Alle vermieden es, in unsere Nähe zu kommen. Sie behandelten uns wie eine Herde fremder Tiere, von denen man nicht weiß, wie gefährlich sie sind.

Dann säumten auch Passanten unsere Straßen.

Wer gerade zum sonntäglichen Spaziergang angesetzt

hatte, einen Freund besuchen oder auf den Fußballplatz gehen wollte, der zögerte, wenn er uns sah, verließ seinen Weg, um zu sehen, was es mit diesem Haufen aufeinander einredender Menschen für eine Bewandtnis habe. Die Leute steckten die Köpfe zusammen, stellten Fragen, und da schienen doch auch schon einige zu sein, die gewisse Antworten über uns zu geben vermochten; die bildeten denn auch sofort die Mittelpunkte der Neugierigen und wurden von vielen Seiten mit Fragen bedrängt. Welcher Art die Antworten waren, die über uns erteilt wurden, konnte ich leider nicht hören. Wahrscheinlich erfand jeder der Auskunftgeber eine andere Reihe von Gründen für unseren seltsamen Aufmarsch. Es ist ja fast ein alltägliches Ereignis heute, daß sich Menschen zusammenscharen, auf die Straße gehen, um für oder gegen etwas zu demonstrieren. Sicher hielt man uns für eine politische Partei oder, was noch leichter zu vermuten war, für eine Sekte; mußte es doch jedem auffallen, daß Kleidung und Haartracht aller Matineebesucher in einem einzigen Stil gehalten waren. Ja sogar der Körperbau und die Art sich zu bewegen, den Kopf schräg oder gerade zu halten, die Hände in Rede und Gegenrede von sich zu werfen, sie beschwörend erstarren zu lassen oder verächtlich zu schütteln, das wies alles eine auffallende Gemeinsamkeit auf. In Kleidung und Haartracht war diese schon so deutlich, daß selbst der unvoreingenommene Passant auf den Gedanken kommen konnte, es handle sich hier um eine Art Uniform. Wenn auch nicht zwei von allen völlig gleich gekleidet waren, der Abstand zur allgemein üblichen Kleidung war doch bei jedem gleich groß. Der trug rotgefärbtes Sackleinen als weit überhängende Bluse, der andere hatte sich eine Hose daraus gemacht; selbst gemacht, so sahen überhaupt alle diese Kostüme aus, wie auch zum Beispiel die Frisuren der männlichen Matineebesucher durchweg verrieten, daß sich jeder zu Hause hingesetzt, in die Linke einen Handspiegel genommen hatte und mit der freibleibenden Rechten begonnen hatte, die Haare bis auf einen winzigen in sich nicht mehr gestuften Rest abzuschneiden. Ich selbst war in dieser Hinsicht immer in Halbheiten steckengeblieben. Ich hatte es nie gewagt, mich so zuzurichten und auszustaffieren wie die anderen Matineebesucher. Das mochte damit zusammenhängen, daß ich als Kassenbuchhalter während der Woche auf ein gesundes Aussehen Wert legen mußte.

Allmählich machte es nun den Eindruck, als hätten wir irgend etwas verbrochen und würden abgeführt. Immer mehr Polizisten tauchten vor uns auf, winkten uns, arbeiteten mit ihren im Zeigen geübten Händen in der Luft herum, übertrieben aber ihre Bewegungen so, als hielten sie uns wirklich für eine Herde farbiger Tiere, die die einfachen Fingerzeige eines Schutzmanns nicht verstehen. Es war jetzt auch nicht mehr zu übersehen, daß irgend jemand einen Befehl gegeben hatte, wie man mit uns zu verfahren und wo man uns hinzulenken habe. Im zentralen Büro für die öffentliche Ordnung beugten sich wahrscheinlich aufgeregte Herren über einen hellerleuchteten Stadtplan, um für uns einen Weg zu suchen. Wir

wurden Richtung Oststadt getrieben, und dort, es war nicht mehr zu verkennen, dort zu den Bahnhofsanlagen, an den Geleisen entlang, immer weiter hinaus, bis zum Güterbahnhof.
Inzwischen war unsere Schar völlig von Polizisten umgeben worden, die sanft aber unabweisbar zu drängen begannen: zuerst auf eine riesige Verladerampe hinauf, dann hinein durch ein schwarz-klaffendes Tor in eine domhohe Güterhalle. Es stank nach Fisch, und auf dem Boden glänzten und schwabbelten dickflüssige Lachen. Ich war als einer der ersten in die Halle gedrängt worden. Um mich herum wurde weiterdiskutiert. Mir wurde übel vor Dunkelheit und schlechter Luft. Ich arbeitete mich zurück, das heißt, ich blieb stehen und ließ alle anderen an mir vorbeipassieren. Da kam Inga. Sie diskutierte mit den zwei glatthaarigen Mädchen. Ich nahm ihre Hand, wollte sie mit hinaus ins Freie ziehen, sie aber entwand sich mir, ohne mich angesehen zu haben, sie mußte gerade einen Einwand niederreden, der ihr Ärgerfalten in die Stirn gegraben hatte. Da kamen schon die Polizisten, das Tor zu schließen. Ich rief noch einmal: »Inga!«, griff ein letztes Mal nach ihr, wieder vergeblich, duckte mich dann und schlüpfte rasch unter den Armen der Polizisten hindurch. Ich kam hinaus. Die Flügel des Tors wurden zugeschoben, rollten einander entgegen, trafen sich, es klinkte metallisch: geschlossen. Von innen hörte man noch Summen und Brodeln. Kein Schrei erhob sich. Nicht einmal Licht wurde verlangt.
Ich aber war, sobald ich im Freien war, von vielen

Polizistenhänden gepackt worden. Ein Verhör begann. Ich bewies schon durch mein Äußeres, daß ich gar nicht zu jener Schar von kläglich Eingesperrten gehören konnte. Man sah mich an, glaubte mir und ließ mich laufen.

In großer Ungewißheit verbrachte ich die nächsten Tage. Dann begann ich mich umzusehen. Zuerst strich ich an unserer Wohnung vorbei, dann auch an den Wohnungen der anderen Matineebesucher. Bevor ich etwas unternehmen konnte, mußte ich wissen, wer diese Eindringlinge waren und mit welchen Rechten man sie ausgestattet hatte.

Anfangs habe ich ja diese Beschlagnahme für eine Aktion irgendeiner Besatzungsmacht gehalten, ausgeführt in geheimem Einverständnis mit unseren eigenen Behörden. Eine Zeitlang hatte ich dann geglaubt, es handle sich um besonders sorglose Zirkusleute, kindhafte Artistengemüter, die nach ihrem Gastspiel die Stadt, also auch die Wohnungen wieder verlassen würden.

Jetzt, nach vielen Nachforschungen, die allerdings so vorsichtig und ohne alle Unterstützung von mir allein betrieben werden mußten, daß sich das Nachforschen fast immer auf ein behutsames Spähen beschränkte, jetzt weiß ich nur, daß wir jenen Eindringlingen kaum Vorwürfe machen dürfen.

Wenn ich an sie denke, sehe ich das aufleuchtende Gesicht eines Ornithologen vor mir, der in einem Schwarm dalmatinischer Störche die Polarmöwe entdeckt. Er kennt die Gesetze der Migrationen seiner Vögel so gut, ist ihren Schicksalen mit solchem Eifer

zugewandt, daß er auch die Ausnahmen mit Liebe erwartet. Er telephoniert noch mit dem Freund in der meteorologischen Anstalt und erfährt, daß von Franz-Joseph-Land bis Nowaja Semlja Kaltluft eingebrochen ist, ganz ungewöhnlich für diese Jahreszeit, einhergehend mit einer Veränderung der Luftdruckverhältnisse, die den Orientierungssinn der Vögel irritiert; und diesen Umstand noch bedacht und jene Möglichkeit einbezogen und schon ist der Flüchtling aus der Zirkumpolarregion zwischen den dalmatinischen Störchen zu einer recht verständlichen Erscheinung geworden. Wüßten wir genug von den Menschen, die außerhalb unserer Wohnungen leben, würden wir den Rothäuten, den grünhäutigen Muskelmenschen, den Husaren mit den Affengesichtern, den blaubärtigen Gouvernanten, ja sogar den begleitenden Wesen wie Riesenstubenfliegen und aufrechtstehenden Hunden, ihnen allen würden wir die Gliedmaßen herzlich schütteln, wie Freunden, die sich mit Brief und Telephon angemeldet haben. Wir aber wissen nichts, also müssen wir vor ihnen bis zur Atemlosigkeit erschrecken wie vor Feinden, oder wir spotten über sie, sagen, sie seien vom Zirkus hergekommen, von der Opernszene, oder gar von einem Seitensprung der Realität (als wäre Realität das, was wir dafür halten)!
Vielleicht sind sie aus ganz entfernten Landschaften gekommen, vielleicht aus dem Industrieviertel unserer Stadt! Daß sie uns fremd scheinen, heißt nur, daß wir sie nie zuvor angeschaut haben. Dazu mußten sie Eindringlinge werden. Warum aber hatte man

diese Flüchtlinge, flüchtig aus Übermut oder Not, warum hatte man sie angewiesen, ausgerechnet die Wohnungen der Matineebesucher zu besetzen? Dieser Frage, für mich war sie wichtiger als alle anderen Fragen, wandte ich meine größte Aufmerksamkeit zu, und ich fand eine Antwort: die Woche über waren die Beamten selbst zur Stelle, konnten allen Bedürftigen raten und helfen. Wollten sie aber einen ungestörten Sonntag haben, so mußten für alle Fälle Quartiere vorbereitet werden; deshalb die Einweisung in die Wohnungen derer, die am Sonntag – wie man wußte – sowieso nicht zu Hause sind, der Matineebesucher also! Am Montag würde man weitersehen. Heutzutage kann die Verwaltung nun einmal nicht anders als von der Hand in den Mund leben.

Und doch mögen die Wohnraum-Verwalter dem Montag mit einiger Beklemmung entgegengesehen haben. Wie sollte es weitergehen? Welcher Improvisationen bedurfte es, um die sonntägliche Improvisation wieder gut zu machen?

Der Montag kam. Noch rührte sich nichts. Auch ich war erstaunt, weder in den Zeitungen noch von Mund zu Mund etwas über dieses doch recht öffentliche Ereignis zu erfahren. Hatte man aus dem Notquartier in der Güterhalle ein Gefängnis gemacht? Hielt man die Eingesperrten mit Gewalt zurück, weil man für sie keinen Wohnraum mehr hatte? Oder lag etwas ganz anderes, Schlimmeres gegen sie vor? Ich unterließ es vorerst, mich bei den Behörden zu erkundigen. Ich wartete. Wartete von Tag zu Tag. War das möglich? Mußte nicht plötzlich ein Schrei aufbrechen und jene Halle zum Mittelpunkt der öffentlichen Empörung machen? Da war doch Gewalt im Spiel. Jetzt waren schon Wochen und Monate vergangen, und keiner der Matineebesucher war zurückgekehrt. Ich begann Erkundigungen einzuziehen, strich auf dem Gelände des Güterbahnhofs herum, bestach Beamte und horchte an den Bretterritzen der Güterhalle. So trieb ich es ruhelos zehn, vierzehn Tage, dann hatte ich so viel erfahren, daß ich alle Bemühungen für immer einstellte. Die Matineebesucher hatten sich mit keinem Wort zu der neuen Umgebung geäußert, sie hatten sich weder beklagt noch beschwert. Selbst die Beamten hatten sich gewundert. Dann hatten sie die Eingesperrten zu kleineren Verladearbeiten eingeteilt, und zwar so, daß die einzelnen Diskussionsgruppen nicht zersprengt wurden. Der Erfolg war ermutigend. Seitdem arbeiten die Matineefreunde auf dem Güterbahnhof und freuen sich ihrer Debattiergemeinschaft. Einen einzigen Wunsch haben sie geäußert: am Sonntagvormittag wollen sie Filme sehen. Gute Filme! Die Wohnungsbeamten, die über diese Entwicklung der Dinge außer sich waren vor Freude, haben dafür gesorgt, daß der Veranstalter der früheren Matineen sein Programm in der Güterhalle weiterführen kann.

Ich aber habe alle Hoffnung aufgegeben, meine Frau je wieder zu sehen. Mich tröstet allein der Gedanke, daß sie bei mir geradezu unglücklich und elend gedarbt hätte, verglichen mit jenem Glück, das ihr im Kreis der Matineefreunde so dauerhaft beschieden ist. Ich gönne es ihr, daß sie bei denen bleiben kann, die jetzt in der dämmrigen Halle leben, den Fischgestank nicht achtend, der unabänderlich hier herrscht, die mit ihren Sandalen in den vom Schimmel befallenen Lachen schlammiger Flüssigkeit stehen und über den Bildhauer diskutieren, der krank, genial und hungrig, so lange Menschen in die Seine stieß, bis ihn das Mädchen weckte, daß er verzweifelte und selbst in die Seine ging, das Mädchen zurückließ, so allein, daß ihr nichts anderes übrig blieb, als wieder spazieren zu gehen, des Nachts, allein, an der Seine! Das ist ein Film! Das ist ihr Thema, das sie lieben wie ihre besondere Haartracht und ihr sehr persönliches Gewand. Matineebesucher sind sie und bleiben sie, auch in der Güterhalle: Vögel, die ohne Flügel zur Welt gekommen sind, Apostel, die keinen Christus gefunden haben. Ich kann das nicht ändern.

Zeittafel

1927	Geboren in Wasserburg/Bodensee, am 24. März
1938–1943	Oberschule in Lindau
1944–1945	Arbeitsdienst, Militär
1946	Abitur
1946–1948	Studium an der Theologisch-Philosophischen Hochschule Regensburg, Studentenbühne
1948–1951	Studium an der Universität Tübingen (Literatur, Geschichte, Philosophie)
1951	Promotion bei Prof. Friedrich Beißner mit einer Arbeit über Franz Kafka
1949–1957	Mitarbeit beim Süddeutschen Rundfunk (Politik und Zeitgeschehen) und Fernsehen In dieser Zeit Reisen für Funk und Fernsehen nach Italien, Frankreich, England, ČSSR und Polen
1955	*Ein Flugzeug über dem Haus und andere Geschichten* Preis der »Gruppe 47« (für die Erzählung *Templones Ende*)
1957	*Ehen in Philippsburg.* Roman Hermann-Hesse-Preis (für den Roman *Ehen in Philippsburg*) Umzug von Stuttgart nach Friedrichshafen
1958	Drei Monate USA-Aufenthalt, Harvard-International-Seminar
1960	*Halbzeit.* Roman
1961	*Beschreibung einer Form* (Druck der Dissertation)
1962	*Eiche und Angora.* Eine deutsche Chronik Gerhart-Hauptmann-Preis
1964	*Überlebensgroß Herr Krott.* Requiem für einen Unsterblichen *Lügengeschichten* *Der Schwarze Schwan* (geschrieben 1961/64)
1965	*Erfahrungen und Leseerfahrungen.* Essays Schiller-Gedächtnis-Förderpreis des Landes Baden-Württemberg
1966	*Das Einhorn.* Roman
1967	*Der Abstecher* (geschrieben 1961) *Die Zimmerschlacht* (geschrieben 1962/63 und 1967) Bodensee-Literaturpreis der Stadt Überlingen
1968	*Heimatkunde.* Aufsätze und Reden Umzug nach Nußdorf

1970	*Fiction*
	Ein Kinderspiel
1971	*Aus dem Wortschatz unserer Kämpfe.* Szenen
1972	*Die Gallistl'sche Krankheit.* Roman
1973	*Der Sturz.* Roman
	Sechs Monate USA-Aufenthalt: Middlebury College (Vermont) und Universität von Texas, Austin
1974	*Wie und wovon handelt Literatur?* Aufsätze und Reden
1975	*Das Sauspiel.* Szenen aus dem 16. Jahrhundert
	Zwei Monate in England: University of Warwick
1976	*Jenseits der Liebe.* Roman
	Vier Monate USA-Aufenthalt: University of West Virginia, Morgantown
1978	*Ein fliehendes Pferd.* Novelle
	Ein Grund zur Freude. 99 Sprüche
	Heimatlob. Ein Bodenseebuch mit Bildern von André Ficus
1979	*Wer ist ein Schriftsteller?* Aufsätze und Reden
	Seelenarbeit. Roman
	Drei Monate USA-Aufenthalt: Dartmouth College
1980	*Das Schwanenhaus.* Roman

Von Martin Walser
erschienen im Suhrkamp Verlag

Ein Flugzeug über dem Haus und andere Geschichten, 1955
Ehen in Philippsburg. *Roman*, 1957
Halbzeit. *Roman*, 1960
Das Einhorn. *Roman*, 1966
Fiction, 1970
Die Gallistl'sche Krankheit. *Roman*, 1972
Der Sturz. *Roman*, 1973
Das Sauspiel. *Szenen aus dem 16. Jahrhundert*, 1975
Jenseits der Liebe. *Roman*, 1976
Ein fliehendes Pferd. *Novelle*, 1978
Seelenarbeit. *Roman*, 1979
Das Schwanenhaus. *Roman*, 1980

Bibliothek Suhrkamp
Ehen in Philippsburg. *Roman*
Bibliothek Suhrkamp 527

edition suhrkamp
Eiche und Angora. Eine deutsche Chronik
edition suhrkamp 16
Ein Flugzeug über dem Haus und andere Geschichten
edition suhrkamp 30
Überlebensgroß Herr Krott. Requiem für einen Unsterblichen
edition suhrkamp 55
Lügengeschichten
edition suhrkamp 81
Der Schwarze Schwan, *Stück*
edition suhrkamp 90
Erfahrungen und Leseerfahrungen
edition suhrkamp 109
Der Abstecher/Die Zimmerschlacht. *Stücke*
edition suhrkamp 205
Heimatkunde. *Aufsätze und Reden*
edition suhrkamp 269
Ein Kinderspiel. *Stück*
edition suhrkamp 400
Wie und wovon handelt Literatur?
edition suhrkamp 642
Wer ist ein Schriftsteller?
edition suhrkamp 959

suhrkamp taschenbuch
Gesammelte Stücke
suhrkamp taschenbuch 6
Halbzeit. *Roman*
suhrkamp taschenbuch 94
Das Einhorn. *Roman*
suhrkamp taschenbuch 159
Der Sturz. *Roman*
suhrkamp taschenbuch 322
Jenseits der Liebe. *Roman*
suhrkamp taschenbuch 525
Ein fliehendes Pferd. *Novelle*
suhrkamp taschenbuch 600
Ein Flugzeug über dem Haus
und andere Geschichten
suhrkamp taschenbuch 612

Schallplatte
Der Unerbittlichkeitsstil.
Rede zum 100. Geburtstag von
Robert Walser

Über Martin Walser
Herausgegeben von Thomas Beckermann
edition suhrkamp 407

Der Band enthält Arbeiten von:
Klaus Pezold, Martin Walsers frühe Prosa.
Walter Huber, Sprachtheoretische Voraussetzungen und deren Realisierung im Roman »Ehen in Philippsburg.«
Thomas Beckermann, Epilog auf eine Romanform. Martin Walsers »Halbzeit«.
Wolfgang Werth, Die zweite Anselmiade.
Klaus Pezold, Übergang zum Dialog. Martin Walsers »Der Abstecher«.
Rainer Hagen, Martin Walser oder der Stillstand.
Henning Rischbieter, Veränderung des Unveränderbaren.
Werner Mittenzwei, Der Dramatiker Martin Walser.
Außerdem sind Rezensionen abgedruckt von Hans Egon Holthusen, Paul Noack, Walter Geis, Adriaan Morriën, Rudolf Hartung, Roland H. Wiegenstein, Karl Korn, Friedrich Sieburg, Jost Nolte, Reinhard Baumgart, Wilfried Berghahn, Werner Liersch, Urs Jenny, Rolf Michaelis, Günther Cwojdrak, Rudolf Walter Leonhardt, Katrin Sello, Rémi Laureillard, Joachim Kaiser, Rudolf Goldschmit, Hellmuth Karasek, Christoph Funke, Johannes Jacobi, Ernst Schumacher, Jean Jacques Gautier, Clara Menck, Jörg Wehmeier, Helmut Heißenbüttel, Ingrid Kreuzer, Ernst Wendt, André Müller, François-Régis Bastide und Marcel Reich-Ranicki.
Er wird beschlossen durch eine umfangreiche Bibliographie der Werke Martin Walsers und der Arbeiten über diesen Autor.

st 558 Erica Pedretti
Harmloses, bitte
80 Seiten
An den Bildern, die Erica Pedretti in anschaulicher Deutlichkeit entwirft, läßt sich der Übergang von der Deskription einer idyllischen Landschaft, des heilen Lebens zur angedeuteten Tragödie erkennen. Dieses Modell ist in einer gegenständlichen Sprache erzählt, die modernste Erzähltechniken ebenso wie den einfachen Satz aufnimmt. So erweist sich der Text als spiegelndes Glatteis, auf dem der, der Harmloses erwartet, zu Fall kommt.

st 559 Ralf Dahrendorf
Lebenschancen
Anläufe zur sozialen und politischen Theorie
238 Seiten
Dieser Band ist ein Versuch, den Begriff der Lebenschancen als Schlüsselbegriff zum Verständnis sozialer Prozesse zu etablieren und in den Zusammenhang geschichtsphilosophischer Erwägungen zur Frage des Fortschritts, sozialwissenschaftlicher Analysen des Endes der Modernität und politisch-theoretischer Überlegungen zum Liberalismus zu stellen.

st 563 Franz Innerhofer
Die großen Wörter
Roman
192 Seiten
Belastet mit den Erfahrungen einer vergewaltigten Kindheit (*Schöne Tage*, st 349) und mühsamen Anstrengungen, als Lehrling und Fabrikarbeiter Selbständigkeit zu behaupten (*Schattseite*, st 542), unternimmt Holl nunmehr den Versuch, als Abendschüler und schließlich Student sich Eintritt in die »Welt des Redens« zu verschaffen.

»Innerhofer verweist auch auf die Fragwürdigkeit einer Sprache, die nicht allen zur Verfügung steht und so zu einem Herrschaftsinstrument werden kann.«

Der Tagesspiegel

st 564 Jorge Semprun
Der zweite Tod des Ramón Mercader
Roman
Aus dem Französischen von Gundl Steinmetz
392 Seiten
Diese Spionagegeschichte dient dazu, die politische Gegenwart aus der inneren Perspektive von Menschen vorzuführen, für die Existieren und politisches Engagement gleichbedeutend sind.
»Man kommt von der Lektüre nicht los. Denn Sempruns Erzählweise, die Leuchtkraft und Treffsicherheit seiner bildstarken Sprache überzeugen und reißen jeden Leser bis zum dramatischen Ende der Geschichte mit.«

Peter Jokostra

st 565 Dorothea Zeemann
Einübung in Katastrophen
Leben von 1913–1945
168 Seiten
»Vom Widerstand als Begriff oder Kategorie, von Schuld und Gewissen mag ich nicht reden. Es ging bei uns um die Praxis des Überlebens ... Das Problem war: Überleben – und neugierig war ich auch. Neugierig bin ich noch immer auf das, was ich erlebt habe, denn ich weiß noch immer nicht, wie es zuging: Das ist es, was mich zum Schreiben zwingt.«

st 566 Wolfgang Utschick
Die Veränderung der Sehnsucht
Erzählung
168 Seiten
Die Geschichte eines in der Nachkriegszeit Aufgewachsenen wird zur Biographie einer Generation, die seit den studentischen Unruhen dem patriarchalischen Alptraum zu entkommen versucht. Utschick ist in dem Kampf um die Wahrnehmung anderer Welten und um die Rettung der eigenen die Phantasie nicht ausgegangen. Diesen Kampf, von dem *Die Veränderung der Sehnsucht* in einer schönen Verbindung von Eigensinn und Einsicht erzählt, lesend zu verfolgen, macht Spaß – und Mut.

st 567 Karin Struck
Lieben
Roman
452 Seiten
Dies ist ein Buch über die Liebe und ihre Nähe zum Tod – ein Bericht über erotische Erfahrungen von Menschen und ein Roman der Entwicklung einer Frau im dreißigsten Jahr. »... ein Psychogramm gegenwärtiger Umbrüche im Selbstverständnis der Frauen – ein Psychogramm der rebellischen Unruhe. Deshalb wird sich *Lieben* vielleicht in absehbarer Zeit schon wie ein Dokument für den weiblichen Aufbruch der siebziger Jahre lesen lassen.«
Beatrice von Matt, Neue Zürcher Zeitung

st 568 Bernard von Brentano
Berliner Novellen
Mit Illustrationen nach Linolschnitten von Clément Moreau
96 Seiten
In dieser 1934 erstmals erschienenen Sammlung erzählt der Autor die Geschichte des sechsjährigen Rudi, eines angeblichen Attentäters, er erzählt die Geschichte eines außerordentlichen Mädchens (»Von der Armut der reichen Leute«), eines Straßenmusikanten (»Der Mann ohne Ausweis«). Er sieht Zusammenhänge dort, wo Zeitungen Berichte bieten. Arbeiter, Arbeiterinnen, Bettler treten auf, aber auch das Berlin der Bankhäuser und des Geldes. Klaus Michael Grüber entdeckte die Novelle »Rudi« für eine Inszenierung durch die *Schaubühne am Halleschen Ufer* im Berliner *Hotel Esplanade*.

st 569
Der große Charlie
Eine Biographie des Clowns
von Robert Payne
Deutsch von Jakob Moneta und Werner Koch
Mit einem Nachwort von Werner Koch
276 Seiten
Woher kommt der Clown? Wohin geht er? Was bedeutet seine Maske? Welche Räume hat er durchstreift, um auf die Erde zu kommen? »Clown sein«, sagt Chaplin, »ist eine Sache, über die man verzweifeln kann.«
»Dieses Buch gehört zu den besten, die bisher über Charlie Chaplin geschrieben wurden.«
Saturday Review of Literature

st 570 Stanisław Lem
Der Schnupfen
Kriminalroman
Autorisierte Übersetzung aus dem Polnischen von Klaus Staemmler
Phantastische Bibliothek Band 33
202 Seiten
Eine Serie von mysteriösen Todesfällen beschäftigt die italienische Polizei. In einem süditalienischen Badeort verschwinden oder sterben fast ein Dutzend Kurgäste. Sie alle sind Ausländer, es sind ausnahmslos Männer mittleren Alters. Den Verdacht auf Selbstmord muß man nach genauem Aktenstudium und Befragen der Angehörigen in den meisten Fällen ausklammern. Und was soll man davon halten, wenn ein ehemaliger Champion im Crawlen im seichten Strandgewässer ertrinkt?

st 571 ›Quarber Merkur‹
Aufsätze zur Science-fiction und Phantastischen Literatur
Herausgegeben von Franz Rottensteiner
Phantastische Bibliothek Band 34
262 Seiten
Aus dem ›Quarber Merkur‹, einer der unbekanntesten wie einflußreichsten Amateurzeitschriften zur Science-fiction, werden hier die interessantesten Artikel vorgestellt. Neben literaturtheoretischen Abhandlungen und Übersichten stehen Einzeldarstellungen zu wichtigen Autoren der utopisch-phantastischen Literatur wie George Orwell, Jean Ray, Stanisław Lem u. a. Einige der scharfsinnigsten Aufsätze von Stanisław Lem, wie z. B. »Roboter in der Science-fiction«, sind ebenfalls in dem Band enthalten.

st 572 Hermann Broch
Gedichte
Kommentierte Werkausgabe, herausgegeben von Paul Michael Lützeler
Band 8
232 Seiten
»Die Motive der menschlichen Aufrüttelung, Verwandlung und Läuterung durch den lebenbegleitenden Tod sind kennzeichnend für Brochs lyrische Dichtung. Die Spannweite der Formen reicht dabei vom karikaturistischen Couplet bis zur gehobenen Elegie.« *Erich von Kahler*

st 574 Materialien zu Rainer Maria Rilkes
›Duineser Elegien‹
Herausgegeben von Ulrich Fülleborn und Manfred Engel
Erster Band: Selbstzeugnisse
416 Seiten
Dieser Teil einer dreibändigen Materialsammlung zu den *Duineser Elegien* belegt umfassend die krisenreiche äußere und innere Entstehungsgeschichte von Rilkes lyrischem Hauptwerk und enthält alle Selbstdeutungen des Dichters. Die folgenden beiden Bände der *Materialien* werden die allgemeine und wissenschaftliche Rezeption der *Duineser Elegien* bis zur Gegenwart dokumentieren.

st 575 Christiane Rochefort
Eine Rose für Morrison
Roman
Aus dem Französischen von Eugen Helmlé
230 Seiten
Eine Rose für Morrison – das heißt nichts anderes als eine Huldigung für Norman Morrison, der sich aus Protest gegen den Krieg in Vietnam vor dem Pentagon in Washington verbrannte. Der Roman handelt vom Aufstand der Jugend gegen eine Welt, die das Falsche, das Gemeine, das Verbrecherische von ihr verlangt.
»Das Buch stellt einen imponierenden Versuch dar, die Materialien der Zeitstimmung in den Roman einzubringen. Und zugleich plädiert er für das elementare Recht des Jungen, des Neuen, des Kommenden, sich zu verwirklichen.« *Heinrich Vormweg*

st 576 Felix Philipp Ingold
Literatur und Aviatik
Europäische Flugdichtung 1909–1927
Mit einem Exkurs über die Flugidee in der modernen Malerei und Architektur
Mit zahlreichen Abbildungen
510 Seiten
Der vorliegende Band will für den Zeitraum, der durch Blériots Kanalüberquerung und Lindberghs Ozeanflug markiert ist, die Wechselbeziehungen zwischen den »zwei Kulturen«, zwischen den »geistigen« und den »praktischen Erneuerern« (Musil) aufzeigen, belegen und deuten.
»Anordnung und Präsentation des Stoffes sind in ebenso geschickter wie überzeugender Weise bewerkstelligt. Der

Autor ist zu seinem Werk zu beglückwünschen, das vom Thema her als völlig neu gelten darf und dessen Materialfülle immens ist.« *Robert Minder*

st 577 Fritz Rudolf Fries
Das nackte Mädchen auf der Straße
Erzählungen
186 Seiten
Der Band versammelt eine Auswahl der besten Erzählungen von Fritz Rudolf Fries aus den fünfzehn Jahren, von 1959 bis 1974. »Die Geschichten dieses ungewöhnlich phantasiebegabten, an Jean Paul und Marcel Proust geschulten Autors sind nachträgliche Entfaltungen kleiner, im allgemeinen Getriebe kaum oder gar nicht beachteter Begebenheiten, in denen wie in jedem Menschen ein Kern von Unverwechselbarkeit steckt. Jede dieser Geschichten hebt einen solchen ungeschliffenen Diamanten und bringt ihn, geschliffen, zum Glänzen ans Licht.«
Gisela Lindemann, Norddeutscher Rundfunk

st 578 E. Y. Meyer
Die Rückfahrt
Roman
428 Seiten
»E. Y. Meyers Roman *Die Rückfahrt* ist ein Werk von außerordentlicher Gedankenfülle und Gedankendichte, eines der wenigen Bücher der Gegenwartsliteratur, die man zwei- und dreimal wird lesen wollen.«
Aargauer Tagblatt

st 579 Arthur Koestler
Die Nachtwandler
Die Entstehungsgeschichte unserer Welterkenntnis
Einzig berechtigte Übertragung aus dem Englischen von Wilhelm Michael Treichlinger
Deutsche Fassung vom Autor überarbeitet und genehmigt
560 Seiten
In dieser Darstellung der Geschichte der Astronomie entwickelt Koestler ein Bild der sich im Laufe der Jahrhunderte wandelnden Anschauungen des Menschen vom Weltall und vermittelt gleichzeitig einen Überblick über die Geschichte des menschlichen Denkens schlechthin. Damit wird ein Thema von größter Aktualität aufgegriffen, nämlich die Suche nach den Ursachen des geistigen Dilemmas unserer Zeit, wie es sich in dem immer ausgepräg-

teren Antagonismus zwischen wissenschaftlichem und philosophischem Denken manifestiert.

st 580 Hans Eppendorfer
Der Ledermann spricht mit Hubert Fichte
Nachwort von Herbert Jäger
224 Seiten
Als Hubert Fichte Hans Eppendorfer das erste Mal traf, war Eppendorfer gerade aus dem Gefängnis entlassen. Mit 17 Jahren hatte er eine Frau umgebracht. Warum? Jahre, nachdem Eppendorfer das Gefängnis verlassen hat, spricht Fichte erneut mit ihm.
»Ohne den unerschrockenen Versuch, in das große Dunkelfeld der Erkenntnis menschlicher Grausamkeit, ihrer Ursachen und Erscheinungsformen, hineinzuleuchten, wird es kaum möglich sein, mit Aggressivität differenziert umgehen zu lernen und Grausamkeit wirklich einzudämmen.« *Herbert Jäger in seinem Nachwort*

st 581 Alexander Trocchi
Die Kinder Kains
Aus dem Englischen übersetzt von Wulf Teichmann
232 Seiten
Das Buch von Joe, dem Junkie, der auf einem Schleppkahn im New Yorker Hafen lebt, dessen Welt sich bevölkert mit all denen, die die Gesellschaft exiliert hat. Einzige Verbindung zur »Gesellschaft« ist die Polizei. *Die Kinder Kains* ist neben *The Naked Lunch* von William Burroughs das bedeutendste Zeugnis der jüngeren amerikanischen Rauschgiftliteratur.

st 583 Jörg Steiner
Ein Messer für den ehrlichen Finder
Roman
196 Seiten
José Claude Ledermann – genannt Schose – sucht früh den Ausweg aus den häuslichen Verhältnissen. Er möchte Radfahrer werden, aber ein Unfall macht die Hoffnungen zunichte. Aus dem Krankenhaus entlassen, muß er erleben, daß ein Schulkamerad sein Rad verkauft hat. Schose sticht ihn mit dem Taschenmesser nieder und muß für Jahre in die Erziehungsanstalt. Nach seiner Entlassung findet er Arbeit auf einem Frachtkahn. Aber es bleibt ungewiß, ob es ihm gelingt, endlich Fuß zu fassen.

st 584 Manuel Scorza
Trommelwirbel für Rancas
Eine Ballade
Aus dem Spanischen von Wilhelm Plackmeyer
276 Seiten
Eine Ballade, die von der Macht der Mächtigen und der Ohnmacht der Armen in Peru erzählt. Scorca führt den Leser in die grausigen Verhältnisse ein, in die in den Zentral-Anden gelegenen Dörfer, die auf keiner Karte verzeichnet sind, es sei denn auf denen der Militäreinheiten, die im Sinne ihrer Befehlshaber das Elend bestimmten und schließlich die Dörfer auslöschten um eines Reingewinns willen.

st 585 Herbert W. Franke
Zone Null
Roman
Phantastische Bibliothek Band 35
190 Seiten
Stellen Sie sich vor: Zwei Supermächte haben sich nach einem atomaren Konflikt in völlige Isolation zurückgezogen. Nach Jahrhunderten bricht eine Expedition auf, stößt durch das verseuchte Niemandsland – die Zone Null – in das Gebiet des ehemaligen Gegners vor. Die fremdartige Umwelt übt auf die Expeditionsteilnehmer eine seltsame Faszination aus. Es gibt keine Brücke mehr zueinander für die beiden Kulturen, es sei denn um den Preis der Selbstaufgabe.

st 587 Dieter Kühn
Josephine
Aus der öffentlichen Biographie der Josephine Baker
Mit Abbildungen
164 Seiten
»Über das ›schwarze Idol‹ Josephine Baker entstand mit Kühns straffer und kluger Sprache ein Porträt, dessen eindeutig abenteuerliche Züge nicht der leisen Tragik entbehren. Kühn läßt die ›öffentliche Biographie‹ dieses Erfolgsgirls und die kritischen Fragen im Zusammenhang damit ein formal und stilistisch raffiniertes Mosaik werden. Der Leser wird keinen Augenblick aus dieser vergnüglich-ernsten Spannung entlassen.« *Imprint*

st 588 José Maria Arguedas
Die tiefen Flüsse
Roman
Aus dem Spanischen übertragen von Susanne Heintz
296 Seiten
»Der Erzähler Ernesto, ein Sohn von Weißen, ist unter Indios aufgewachsen und später in die Welt der Weißen zurückgekehrt. Er paßt sich nicht an, bleibt Einzelgänger und evoziert so die tragische Opposition zweier Welten, die sich nicht kennen, ablehnen und nicht einmal in seiner eigenen Person schmerzlos miteinander leben können.«
Mario Vargas Llosa

st 589 Basis. Jahrbuch für deutsche Gegenwartsliteratur
Band 10
Herausgegeben von Reinhold Grimm und Jost Hermand
272 Seiten
Mit Beiträgen von Jost Hermand, Horst Denkler, Helga Geyer-Ryan, Wolfram Malte Fues, Dieter Kafitz, Frank Trommler, Ulrich Profitlich, Ralf Schnell, Peter Uwe Hohendahl, u. a. Ohne methodisch festgelegt zu sein, sucht *Basis* eine Literaturbetrachtung zu fördern, die an der materialistischen Grundlage orientiert ist.

st 590 Reinhold Schneider
Die Hohenzollern
Tragik und Königtum
Herausgegeben mit einem Nachwort von
Wolfgang Frühwald
Mit Abbildungen
304 Seiten
Es geht in diesem Buch nicht um den Anspruch der Hohenzollern, sondern um einen unbezweifelbaren Auftrag an ein Geschlecht, eine Landschaft, eine Zeit. Anliegen dieses Buches ist: Ehrfurcht vor der Geschichte, dem Gewesenen überhaupt.

st 591 Milan Kundera
Abschiedswalzer
Roman
Aus dem Tschechischen von Franz Peter Künzel
248 Seiten

Der Blick fällt auf ein Badestädtchen, dessen Reichtum die Quellen sind, die Frauen von Unfruchtbarkeit heilen. Ružena ist das Mißgeschick passiert, das für die übrigen Kurgäste das langersehnte Glück wäre: sie ist schwanger. Figuren verschlingen sich, Paare lösen sich auf und gehen neue, unerwartete Verbindungen ein.
»*Abschiedswalzer* ist nichts anderes als eine brillante Prosakomödie, eine Mischung aus Feydeau und Schnitzlerschem *Reigen,* von satirischer Groteske und ideologiekritischer Scharfsichtigkeit.«

Der Tagesspiegel, Berlin

st 593 Zehn Gebote für Erwachsene
Texte für den Umgang mit Kindern
Zusammengestellt und mit einem Nachwort versehen von Leonhard Froese
224 Seiten
Diese Sammlung geht von zehn Postulaten aus, die der Herausgeber zum *Internationalen Jahr des Kindes* der Öffentlichkeit übergeben hat. Sie ordnet diesen Postulaten bedeutende Aussagen namhafter Autoren und Schriften der Antike, des Mittelalters und der Neuzeit zu. Dabei fällt auf, daß Äußerungen weit auseinanderliegender Zeiten und Räume häufig nicht nur dem Wortsinn, sondern gelegentlich auch der Aussageform nach übereinstimmen.

st 594 Jan Józef Szczepański
Vor dem unbekannten Tribunal
Fünf Essays
Aus dem Polnischen übersetzt und erläutert
von Klaus Staemmler
160 Seiten
»... was ich jetzt schreibe, ist ein weiterer Versuch, das Schweigen zu durchbrechen, in das uns unsere kleingläubige Schwäche versetzt hat.« Dieses Zitat aus Szczepańskis »Brief an Julian Stryjkowski« könnte als Motto über den fünf Essays stehen, die dieser Band versammelt. Das Schweigen (aus Feigheit oder Dummheit) läßt Unrecht und Unmenschlichkeit zu. Jede Stimme, die es zu durchbrechen sucht, ist ein nicht zu überhörender Appell und ein Nachweis der Humanität.

st 595 Ödön von Horváth
Geschichten aus dem Wiener Wald
Ein Film von Maximilian Schell
Mit zahlreichen Abbildungen
160 Seiten
Zur Uraufführung des Maximilian-Schell-Films »Geschichten aus dem Wiener Wald« nach dem Volksstück von Ödön von Horváth liegt dieser Band mit dem Drehbuch von Christopher Hampton und Maximilian Schell und zahlreichen Fotos des 1978 in Wien und Umgebung entstandenen Films vor, der den Entstehungsprozeß des Films dokumentiert.

st 596 Hans-Georg Gadamer, Jürgen Habermas
Das Erbe Hegels
Zwei Reden aus Anlaß des Hegel-Preises
104 Seiten
»Niemand sollte für sich in Anspruch nehmen, ausmessen zu wollen, was alles in der großen Erbschaft des Hegelschen Denkens auf uns gekommen ist. Es muß einem jeden genügen, selber Erbe zu sein und sich Rechenschaft zu geben, was er aus dieser Erbschaft angenommen hat.«
Hans-Georg Gadamer

st 597 Wilhelm Korff
Kernenergie und Moraltheologie
Der Beitrag der theologischen Ethik zur Frage
allgemeiner Kriterien ethischer Entscheidungsprozesse
104 Seiten
Die vorliegende Studie ist einer konkreten Herausforderung entsprungen. Im Entscheidungskonflikt um das Projekt eines Kernkraftwerks in Wyhl/Oberrhein wurde der theologische Ethiker um eine Stellungnahme angegangen. Da die gegenwärtige ethische Theorie wenig Strategien hinlänglicher Leistungsfähigkeit bereitstellt, wandte sich der Verfasser den tradierten Modellen zu, um ihnen mögliche Gesichtspunkte abzugewinnen.

st 628 Georg W. Alsheimer
Eine Reise nach Vietnam
224 Seiten
Alsheimer kehrt in seine »Wahlheimat« zurück. Die Narben des amerikanischen Alptraums sind noch allgegen-

wärtig. So gerät die Konfrontation des Damals mit dem Heute zunächst zu einem Verfolgungswahn. Erst als er durch das Vertrauen seiner Freunde das Damals mit dem Heute verknüpfen kann, verwandeln sich in dieser Krise seines politischen Credos die gläubigen Visionen in einen gemäßigten, kritischen Optimismus. Den Prozeß, der zu dieser Einsicht führte, protokolliert Alsheimer in diesem Reisetagebuch. Alsheimers *Vietnamesische Lehrjahre* liegen als st 73 vor.

st 629 Wie der Teufel den Professor holte
Science-fiction-Erzählungen aus POLARIS 1
Phantastische Bibliothek Band 37
132 Seiten
Der Band enthält Erzählungen von Stanisław Lem, Gérard Klein, Kurd Laßwitz, Fitz-James O'Brien, Vladimir Colin.

st 630 Das Mädchen am Abhang
Science-fiction-Erzählungen aus POLARIS 2
Phantastische Bibliothek Band 38
178 Seiten
Der Band enthält Erzählungen von Wadim Schefner, Sewer Gansowski, Arkadi und Boris Strugatzki, Ilja Warschawski.

st 631 Der Weltraumfriseur
Science-fiction-Erzählungen aus POLARIS 3
Phantastische Bibliothek Band 39
144 Seiten
Der Band enthält Erzählungen von Josef Nesvadba, Gerd Ulrich Weise, Sven Christer Swahn, Vladimir Colin, Frigyes Karinthy.

st 632 Die Büßerinnen aus dem Gnadenkloster
Phantastische Erzählungen aus PHAÏCON 2
Herausgegeben und mit einem Vorwort von
Rein A. Zondergeld
Phantastische Bibliothek Band 40
122 Seiten
Der Band enthält Erzählungen von Joseph Sheridan Le Fanu, Erckmann-Chatrian, Jean-Louis Bouquet, Julio Cortázar, Manfred Wirth, Jörg Krichbaum.

Alphabetisches Gesamtverzeichnis der suhrkamp taschenbücher